CW00705327

# LES SEPT MITTERRAND

ou

les métamorphoses d'un septennat

DU MÊME AUTEUR

La Double Méprise, Grasset, 1980.
Le Noir et le Rouge, Grasset, 1984.

CATHERINE NAY

# LES SEPT MITTERRAND

ou

les métamorphoses d'un septennat

BERNARD GRASSET
PARIS

« J'ai souvent vérifié que la bonne gestion d'une erreur valait mieux que certains succès. L'art du jeu des échecs nous l'enseigne, qui consiste à tirer avantage des fautes que l'on commet : elles déroutent l'adversaire plus qu'elles ne vous égarent. Bref, je crois aux vertus de l'improvisation. A condition que l'on sache que l'improvisation est un long exercice. »

François MITTERRAND,
préface à *Si demain la Gauche,*
de Gaston Defferre.

Chapitre premier

# FRANÇOIS-LÉON BLUM

(mai 1981 – juin 1982)

Tout commence avec le chapeau. Un feutre sombre à larges bords. La réplique exacte de celui que portait Léon Blum au temps où il défilait à la tête des masses populaires du côté de la Bastille ou du stade Buffalo.

Quand François Mitterrand, prétextant la froidure, le pose sur son front vers 1974, la gauche campe aux portes du pouvoir. Elle croit la victoire à sa main.

La droite s'esclaffe, elle daube le déguisement et celui qui le porte : « Voilà bien le modernisme socialiste! Est-ce pour accréditer sa conversion à cette vieille religion que le premier secrétaire mime ainsi le leader du Front populaire ? »

La droite a tort de rire.

La gauche moquerait de bon cœur Giscard, Chirac ou Barre s'ils se mettaient dans la fantaisie de se visser un képi sur le crâne pour témoigner de leur éventuelle conviction gaulliste : Guy Bedos écrirait sans doute un sketch désopilant. Mais cette gauche-là ne sourit pas. Chez les militants socialistes, le clin d'œil vestimentaire du premier secrétaire provoque au contraire un regain de ferveur, presque d'émotion. En exhumant de la naphtaline ce couvre-chef totémique, n'encourage-t-il pas le destin ? Son geste par tous est jugé « sublime, forcément », comme dira plus tard Marguerite Duras.

La gauche connaît trop ses classiques pour ignorer que l'Histoire repasse toujours les plats. Au moins deux fois. Hegel l'a écrit [1]. Karl Marx a confirmé l'axiome : toujours les révolutionnaires se réincarnent : « Caussidière pour Danton, Louis Blanc pour Robespierre, La Montagne de 1848 pour La Montagne de 1793 [2]. » Alors, pourquoi pas François Mitterrand pour Léon Blum ? Seulement voilà : le prophète ajoutait que si l'Histoire bégaie, « c'est la première fois comme tragédie, la seconde fois comme farce » [3].

Comme farce! Au PS on n'est tout de même pas marxiste à ce point. Si le chapeau magique ressuscitait le grand élan de 1936, celui qui allume dans le regard des anciens d'extatiques nostalgies et exalte les plus jeunes comme une épopée en bandes dessinées, il ne s'agirait évidemment pas d'une plaisanterie. Pourquoi se priverait-on de rêver ?

Et voilà justement que, le 10 mai 1981, miracle, l'Histoire recommence. L'Histoire, en sommeil quand la droite gouverne, trouve enfin son sens, ce fameux « sens » sur lequel, si souvent, militants et dirigeants glosent dans les sections socialistes et à la tribune des congrès. Peut-être devraient-ils lire plus souvent Karl Marx qui écrivait : « Tout un peuple qui croit s'être donné au moyen d'une révolution une force de mouvement accrue se trouve brusquement transporté dans une époque défunte. Et pour qu'aucune illusion quant à cette rechute ne soit possible, réapparaissent les anciennes dates, l'ancien calendrier [2]. »

1. In *la Philosophie de l'histoire.*
2. In *le 18 Brumaire de Louis Bonaparte,* éd. Sociales.
3. Karl Marx, il est vrai, comparait alors Napoléon le Grand et Napoléon le Petit, l'oncle et le neveu.

Comme c'est étrange et quelle coïncidence! Dès le triomphe de François Mitterrand, l'actualité se teinte de sépia.

Le Front populaire l'avait emporté en mai, tout comme le cartel des gauches en 1924 [1]. C'est en mai 1981 que les socialistes recouvrent le pouvoir.

« Le mois de mai est fou », écrivait un jour François Mitterrand dans une chronique. Il songeait à Mai 58 qui avait ruiné ses espoirs, à Mai 68 où il s'était trouvé pris de court, il oubliait que ce fol aimait aussi la gauche.

Comme c'est étrange et quelle coïncidence : Léon Blum avait soixante-quatre ans en entrant à l'hôtel Matignon, alors siège du pouvoir réel. François Mitterrand porte soixante-quatre printemps lorsqu'il se hisse à l'Élysée.

Il aura fallu plus de quinze ans au leader de la SFIO pour donner la victoire à son camp. Il en faudra tout autant à François Mitterrand pour accéder enfin à la présidence.

Trois ans avant de l'emporter, Léon Blum s'était fait taxer d' « archaïsme » par le néo-socialiste Marcel Déat – un agrégé de philosophie – qui raillait l'incapacité de son parti à abandonner l'idéologie dépassée du guesdisme d'avant 1914. En 1978, trois ans avant de chasser la droite du pouvoir, François Mitterrand se voit affubler de la même étiquette par son éternel challenger Michel Rocard, qui entend attirer l'attention des camarades sur l'exacte évolution des réalités économiques : « On ne pourra pas répartir plus qu'on ne produit. »

Comme c'est étrange et quelle coïncidence!

Le gouvernement à peine formé, le tout nouveau ministre des Finances du Front populaire, Vincent Auriol, avait adjuré Léon Blum de dévaluer le franc. Lors du débat d'investiture à la Chambre des députés, Paul

1. Le 11 mai exactement!

Reynaud, chef de file de l'opposition de droite, en avait montré la nécessité et rappelé qu'aux États-Unis, Roosevelt s'était empressé de dévaluer le dollar avant de mettre en œuvre le programme social du New Deal. Blum refusait avec hauteur : « Le pays n'a pas à attendre de nous, ni à redouter de nous que nous couvrions un beau matin les murs des affiches blanches de la dévaluation. » C'est qu'il voulait rassurer les épargnants, comme si une coalition de gauche à forte participation communiste, et qui dénonçait « les Bastille financières de la réaction », ne suffisait pas à les inquiéter. Et puis, les communistes menaçaient de rompre l'alliance sur cette question.

Las, la Banque de France se trouva bientôt à court de devises et perdit de telles quantités d'or que le président du Conseil dut se résoudre à conclure avec Londres et Washington, le 25 décembre 1936, un accord tripartite qui entérinait en fait une dévaluation du franc variant de 25 à 35 %.

Le 21 mai 1981, jour de son entrée officielle en fonctions, François Mitterrand descend en limousine les Champs-Élysées. Le premier ministre est à ses côtés. Les badauds qui les applaudissent observent que celui-ci s'adresse avec animation à celui-là. Ils s'imaginent que Pierre Mauroy n'en finit pas de congratuler le héros de la fête. En réalité, il le presse de choisir une politique monétaire : dévaluation ou soutien du franc? Les réserves de la Banque de France fondent comme sorbet au soleil. Entre le 11 et le 15 mai, les sorties de devises ont atteint la valeur de 3 milliards de dollars; entre le 16 et le 18, elles ont varié de 700 millions à 1 milliard de dollars par jour.

« On ne dévalue pas un jour comme aujourd'hui », tranche, souverain, François Mitterrand. Il n'entend pas inquiéter l'électorat modéré à trois semaines des législatives. Et puis c'est affaire d'image : la « force tranquille » succédant au « meilleur économiste de France » pouvait-elle inaugurer son mandat par ce que Léon Blum appelait, au début du sien, un « coup d'État monétaire » ? Impensable. François Mitterrand refuse même de laisser flotter le franc, comme le lui conseillent Michel Jobert et Jean-Pierre Chevènement.

Las, les belles résolutions du nouveau président devront, comme celles de Léon Blum, s'incliner devant la rude loi des faits : le 4 octobre 1981 (à quelques jours près, c'est le même laps de temps qu'en 1936), le franc est dévalué. Dans de mauvaises conditions. En accord avec nos partenaires européens, il perd huit points et demi par rapport au mark. C'est trop pour la symbolique politique. Pas assez pour l'efficacité économique.

En 1936, la grande affaire du programme négocié entre socialistes, radicaux et communistes est la législation sociale. Elle accuse vingt ans de retard sur un pays comme l'Allemagne. Depuis 1918, le patronat n'a cessé de repousser les revendications des salariés. Il faut donc mettre les bouchées doubles. Dès le 20 juin, on accorde à tous les travailleurs deux semaines de vacances payées : « Notre gouvernement, dira plus tard Léon Blum au procès de Riom, a apporté une sorte de beauté et de lumière dans des vies qui n'étaient remplies que de dures peines et de tristesse. » On crée dans le même temps un sous-secrétariat d'État aux Loisirs, confié à Léo Lagrange. Les salaires sont augmentés de 7 à 15 %. Les droits syndicaux sont reconnus. La loi sur les conventions collectives, inspirée en partie du New Deal américain, veut détruire à jamais dans les entreprises le vieil absolutisme patronal de droit divin. La durée du travail hebdomadaire est réduite de 48 heures à 40 heures sans réduction de salaire.

820 000 [1] chômeurs sont recensés cette année-là et une

1. Soit 4,7 % de la population active.

telle mesure doit permettre, croit-on, de partager le travail. Tout comme la hausse des salaires doit relancer la consommation. Le socialiste André Philip l'explique à la Chambre le 12 juin : « L'accroissement du pouvoir d'achat ouvrier suscitera une demande supplémentaire qui permettra aux entreprises accablées par les frais généraux de répartir ceux-ci sur une production intense et sera par là même à l'origine d'une baisse du prix de revient. Lesquels prix, devenant compétitifs, feront décroître le déficit du commerce extérieur. »

Le gouvernement nationalise certaines industries d'armement, pour châtier les « marchands de canons », réforme la Banque de France, instrument des « 200 familles » dont il faut briser le pouvoir, crée un Office national du blé, fait adopter 133 lois en 73 jours pour que le pays soit prêt à affronter la crise avec « de nouveaux moyens ».

Comme c'est étrange et quelle coïncidence : François Mitterrand et son gouvernement vont mettre leurs pas dans ceux de Léon Blum. Semelle contre semelle.

Karl Marx, encore lui, l'avait prévu, qui écrivait : « La tradition de toutes les générations mortes pèse comme un cauchemar sur le cerveau des vivants. Et même quand ils semblent occupés à se transformer, à créer quelque chose de tout à fait nouveau, ils appellent craintivement les esprits du passé à leur rescousse. Ils leur empruntent leurs mots d'ordre [1], leurs costumes [2] pour jouer une nouvelle scène de l'Histoire sous ce déguisement respectable et avec ce langage d'emprunt [3]. »

1. Tout juste désigné, Léon Blum déclarait à la radio le 5 juin 1936 : « Un grand avenir s'ouvre devant la démocratie française, je l'adjure, comme chef du gouvernement, de s'engager, avec cette *force tranquille* qui est la garantie de victoires nouvelles. »
2. Le chapeau.
3. In *le 18 Brumaire de Louis Bonarparte, op. cit.*

Voilà en effet qu'en 1981, dans la cinquième puissance économique du monde, toutes frontières ouvertes, qui dépend du marché international, qui compte 1 650 000 chômeurs [1], mais dont les travailleurs n'ont pas grand-chose à envier en matière sociale à leurs voisins européens, les recettes de 1936 sont prestement ressorties du grenier. Les experts socialistes, mal libérés des dogmes du programme commun, font preuve d'une érudition d'antiquaire lorsqu'il s'agit de dresser la liste des 110 propositions du candidat Mitterrand.

Comme en 1936, on augmente vigoureusement le pouvoir d'achat : SMIC, 10 %, allocations familiales, 25 %, allocation vieillesse, 20 %. « Il n'y a pas de crise, expliquent les experts à leur candidat, trop heureux d'ouïr un tel discours, mais seulement crise de l'austérité barriste imposée aux travailleurs. » L'augmentation des salaires entraînera celle de la consommation, donc la croissance de la production, qui permettra en bout de course de rétablir l'équilibre budgétaire et de faire face aux dépenses.

L'« autre logique », celle de 1981, est exactement calquée sur celle de 1936. Saisissant! En outre, elle est renforcée par une thérapeutique miracle : la nationalisation. Après avoir mis la main sur neuf grands groupes industriels, l'État montrera, croit-on, le chemin de la lumière aux patrons obscurantistes qui refusent d'investir. Et il ouvrira à la nation la voie du plein emploi. En nationalisant trente-neuf banques, il gouvernera tous les circuits de l'argent pour les orienter vers le développement et non vers le profit, ce galeux d'où vient tout le mal.

Toujours plus : pour les loisirs, un sous-secrétaire d'État ne suffit pas, le syndicaliste André Henry devient

1. Soit 7,3 % de la population active.

ministre du Temps libre; on le flanque d'un autre ministre à part entière (pour la Jeunesse et les Sports) et d'un secrétaire d'État (au Tourisme).

C'est que le temps libre va augmenter. On abaisse l'âge de la retraite. De manière symbolique, on réduit la durée hebdomadaire du travail à 39 heures, sans toucher au salaire (l'objectif étant alors d'arriver à 35 heures en 1985, afin de lutter contre le chômage).

Comme c'est étrange et quelle coïncidence. A près de cinquante ans de distance, se répètent les mêmes scènes ou presque dans les palais gouvernementaux.

Juin 1936 : un Conseil est consacré au rythme d'application des 40 heures. Plusieurs ministres, dubitatifs et prudents, s'interrogent sur le calendrier de l'opération. Mais Léon Jouhaux, le patron de la CGT, a tonné : « Les 40 heures payées 48 heures pour tout le monde et tout de suite. » Alors Léon Blum tranche : « Allons-y, 40 heures payées 48 heures pour tout le monde et tout de suite. »

Février 1982 : plusieurs ministres, à commencer par le premier [1] et aussi Jean Auroux [2] qui est en charge du Travail s'interrogent, dubitatifs et prudents, sur la réduction du temps de travail hebdomadaire à 39 heures : doit-elle s'accompagner du maintien intégral du salaire ? Mais la CGT, et encore plus André Bergeron le patron de FO, trépignent et l'exigent : « Les 39 heures payées 40. » Alors, François Mitterrand l'impose au gouvernement : « 39 heures payées 40 heures. » Une décision unilatérale qui sonne le glas des négociations sur les 35 heures. Il n'en sera plus question jus-

1. Le 8 janvier, Pierre Mauroy, au Forum de l'*International Herald Tribune,* déclarait : « Qui dit partage du travail dit partage des revenus. »

2. « On ne peut pas, dit-il, avoir plus de temps libre et plus de revenus monétaires. »

qu'en 1986. Bon prince, Pierre Mauroy revendiquera, au cours d'un débat télévisé, la paternité de cette décision qu'il réprouve. En juillet 1984, à TF1, Jean Boissonnat lui demande par trois fois si elle était bien de son fait. « Oui, oui, oui, c'est moi, c'est moi, c'est moi », confesse, le front haut, ce Pierre-là qui ne renie pas son maître. Et le coq n'a pas à chanter. Quelques jours plus tard, le disciple est remercié. Il cède Matignon à Laurent Fabius. L'ingratitude est la reconnaissance des grands.

Comme c'est étrange et quelle coïncidence : dans sa forme lyrique, le Front populaire a duré douze mois et dix-huit jours. Dans sa phase emphatique, celle du « je dépense, donc je suis », le gouvernement de la gauche dure douze mois et vingt-quatre jours.

Le 21 juin 1937, vers 3 heures du matin, Léon Blum annonce à la presse qu'il se retire : le Sénat lui a refusé les pleins pouvoirs économiques qu'il demandait. Les réserves d'or s'épuisant, le Trésor se vidant, le président du Conseil entendait faire prévaloir une politique d'austérité : augmentation des impôts sur le revenu et des taxes successorales, fin de l'indexation des salaires sur le coût de la vie, coups de pouce aux tarifs postaux, à ceux des chemins de fer, et au prix du tabac. Ce qu'il appelait « la pause économique pour aller de l'avant ».

Le 13 juin 1982, sombre dimanche, le gouvernement de la gauche annonce son premier plan de rigueur. Il faut mettre un terme à la politique suivie depuis plus d'un an : prix et salaires sont bloqués pour quatre mois, l'augmentation du SMIC attendra des jours meilleurs, les prestations sociales et les allocations de chômage vont bientôt baisser. En novembre 82, un décret Bérégovoy, s'abritant derrière les partenaires sociaux, frappera les plus faibles : les chômeurs de longue durée. Il faut trouver dix milliards d'économie pour la Sécurité sociale [1].

L'annonce de ce plan coïncide avec la deuxième dévaluation du franc, qui décroche encore de 10 % par rapport au mark. Commentaire du journal allemand *Die Welt* : la solidarité du deutschemark a permis à François Mitterrand de « cacher ce que signifie cette dévaluation : la facture d'une politique économique ratée ».

Comme par hasard, il avait fallu aussi un peu plus d'un an au gouvernement du Front populaire pour en arriver à sa deuxième dévaluation. Parallélisme saisissant, mais trompeur en réalité, François Mitterrand se montrait en 1981 bien plus ambitieux, se voulait bien plus socialiste que Léon Blum.

Le Premier ministre du Front populaire ne souhaitait pas faire la révolution, il ne voulait même pas transformer profondément le régime capitaliste. Le 1er octobre 1936, il déclarait devant le Sénat : « Mon gouvernement n'a pas le mandat ni l'intention de procéder à une expropriation révolutionnaire de certaines formes de la propriété capitaliste. Si notre expérience a un sens, c'est de prouver qu'il est possible de réaliser une certaine quantité de progrès social à l'intérieur du régime républicain, et à l'intérieur du régime de propriété qui est celui de la France. »

Aux yeux de François Mitterrand, un tel programme est réformiste, donc insuffisant.

Karl Marx, encore lui, l'avait écrit : « La résurrection des morts sert à magnifier les nouvelles luttes et à exagérer dans l'imagination des vivants la tâche à accomplir. » De fait, François Mitterrand s'exagère sa mission.

1. Ce décret a pour conséquence d'exclure 300 000 personnes de l'assurance chômage. Le nombre des chômeurs non indemnisés est passé de 29 % du nombre des demandeurs d'emploi en décembre 82 à plus de 41 % fin octobre 84 (statistiques du ministère de l'Emploi).

Pour lui la tâche à accomplir devient la rupture avec le capitalisme. Pas moins.

Il ne se contente pas d'arborer le chapeau rond de Léon Blum, il coiffe aussi de bonnets rouges son vocabulaire. Et pour psalmodier dans chaque discours « je suis anticapitaliste, voilà ma fierté », il retrouve les accents du jeune collégien fervent qui chantait jadis « je suis chrétien, voilà ma gloire ».

Sa conversion a été brutale : cinq semaines avant le congrès d'Épinay, en 1971, il n'appartenait pas encore au parti socialiste, mais il a réussi en quelques jours une OPA à laisser admiratifs les meilleurs raiders de la Bourse. Devenu illico premier secrétaire, il annonce la couleur – rouge – à la tribune : « Celui qui n'accepte pas la rupture avec l'ordre établi, avec la société capitaliste, celui-là, je le dis, ne peut être adhérent au PS. » Et vlan ! Voilà qui est clair et net. Tous les camarades rassemblés autour de François le néophyte lèvent le poing et entonnent avec lui l'Internationale qu'il chante pour la première fois. « Ça, il faut le faire », murmure, ébahi, un briscard habitué depuis des lustres aux congrès de la SFIO. A qui son voisin, un vétéran lui aussi, réplique : « Il ne manque pas d'air. »

Tous les rassemblements du PS, dès lors, verront se multiplier de savants exercices d'élaboration, de célébration, et de manipulation des mythes. On peut le comprendre : sans eux, sans l'anathémisation du capitalisme, le socialisme moribond n'aurait pas pu se relever, ni la gauche renaître. S'il ne vouait pas le capitalisme aux enfers, le PS ne pouvait espérer récupérer les héritiers de Mai 1968 et signer en 1972 le programme commun avec les communistes. Il ne pouvait pas, non plus, séduire le peuple de gauche, toujours friand de proclamations vibrantes et souvent victime de l'habileté des rhéteurs.

Une fois pour toutes il le décrète. L'argent c'est le mal ! Lors du rassemblement pour le soutien au programme commun [1], il s'écrie : « Nous n'avons pas besoin des maîtres de l'argent... des nouveaux seigneurs, des maîtres de l'armement, des maîtres de l'ordinateur, des maîtres des produits pharmaceutiques, des maîtres de l'électricité, des télécommunications... nous ne ferons pas payer cher le malheur de tant de siècles. Mais, pour ce qui concerne l'argent, l'argent, toujours l'argent, eh bien oui ! il faut que ce monde change. »

Dans ce registre, il sera inégalable. Il n'observe ni les prudences, ni les modesties de Léon Blum. Il procède par incantations. Avec lui, la réalité doit toujours plier devant le discours, tant pis pour les plus sérieux de ses fidèles : le parler vrai sonne faux. Tant mieux pour les doctrinaires, le premier secrétaire les cajole et leur fait l'œil de velours, car il faut semer le rêve. Et il donne le ton.

François Mitterrand 1973 : « Je pense que le socialisme est un facteur de rêve et dans certains cas de réussite face au monde de la science et de la technique, enfin face au monde moderne [2]. »

François Mitterrand 14 mai 1974 : « Nous vivons sous des dictatures, la dictature du grand capital [3]. »

François Mitterrand 1975 : « La crise, c'est le capitalisme, crise entretenue par lui et non déclenchée par le choc pétrolier en 1973 [4]. »

François Mitterrand 1979 : « La rupture avec le capitalisme ne sera effective que si se produit, dans le même temps, une transformation profonde des modes de pensée. Les prétendues lois économiques ne sont que les vieilles recettes de l'exploitation de l'homme par l'homme, du système capitaliste de la société industrielle. Il est temps de changer les termes du débat et de ne plus se laisser

1. Décembre 1972, à la Porte de Versailles.
2. A RTL, le 23 avril 1973.
3. In *Politique 1,* éd. Fayard, 1977.
4. In *Politique, op. cit.*

investir par la culture économique dominante. » Et encore : « Le système capitaliste est à l'origine du mal, la loi suprême du profit élimine l'aspiration individuelle ou collective vers des valeurs telles que la beauté, la fête, l'amour, le dialogue [1]. »

François Mitterrand 1980 : « Comment ne pas rêver à la société idéale où des hommes égaux et justes dans une cité ordonnée par leurs soins se répartiraient les fruits de leur travail, toute forme de profit écartée, quand il n'y a, autour de soi, qu'exploitation de l'homme par l'homme [2] ? »

Une semaine seulement avant son élection, le 2 mai 1981, le candidat socialiste répète encore à la télévision qu'il faut éradiquer le profit, cette fleur vénéneuse du capitalisme : « Comment, demande-t-il, redonner à notre peuple ardeur et ferveur, et donc goût d'entreprendre et de vaincre la crise, s'il n'y a pas inversion du système des valeurs et substitution d'une politique fondée sur le respect de l'homme à une politique centrée sur le profit ? »

Il s'agit, certes, par ces antiennes de séduire les électeurs communistes en empruntant quelques arias à la musique de leur parti. On peut y voir aussi l'écho de la formation reçue jadis par François Mitterrand de l'Église catholique qui n'a jamais fait bon ménage avec le capitalisme libéral. D'ailleurs, le dirigeant socialiste ne se prive pas d'y faire référence. En 1979, à propos de l'autogestion, l'ancien élève du collège Saint-Paul d'Angoulême demande : « Utopie ? Elle était déjà celle du christianisme pour qui l'individu est une personne. »

L'ancêtre Jules Guesde rêvait de faire du socialisme une contre-Église. Avec François Mitterrand, celui-ci a

1. *Ibid.*
2. In *Ici et maintenant,* éd. Fayard, 1980.

trouvé un pape qui se dit animé d'une grande ambition : « réaliser la jonction des chrétiens et du socialisme [1] ».

A vos prie-Dieu, camarades! Le premier secrétaire du PS trouvera même des accents évangéliques pour évoquer en 1974 la gauche unie : « Cela me fait penser aux premiers âges du catholicisme : le refus de la violence, de la force, le refus du profit. Je ne sais pas si vous vous souvenez que, pendant longtemps, l'Église avait refusé que l'argent puisse, par soi-même, rapporter de l'argent [2]. »

Le premier secrétaire imaginait-il quel coup de vieux il donnait ainsi à son camp? Jusqu'au XVIe siècle il est vrai, l'Église avait refusé que l'argent puisse rapporter de l'argent. Mais après la Réforme, elle s'était ralliée au prêt à intérêts. En 1929, après les accords du Latran, les indemnités compensatoires versées par Mussolini au Vatican avaient été placées à la banque en Bourse. Et y sont toujours, pour peu qu'il en reste quelque chose...

Une louche de raideur marxiste, une cuillerée de scrupule et de simulation catholiques, la mayonnaise socialiste ne tardera pas à prendre.

« Le socialisme est une morale et presque une religion », déclarait Léon Blum. François Mitterrand n'est pas chiche de morale. Dans tous ses discours, dans tous ses écrits, il se fait le héraut du bien et le pourfendeur du mal, mais il sépare à sa manière le bon grain de l'ivraie [3].

1. In *Ici et maintenant, op. cit.*
2. *Politique 1, op. cit.*
3. Dans son *Essai sur le discours* (de François Mitterrand), éd. La Pensée Sauvage, Dominique Labbé note : « Les thèmes religieux ont été politiquement nécessaires à F. Mitterrand dans sa conquête de la gauche communiste. Comme dans les gnoses classiques, on trouve chez lui deux principes en lutte, le bien contre le mal avec leurs incarnations gauche-droite, peuple-argent, Giscard-Lui. D'où ces trois temps gnostiques du discours. D'une part, le passé où ces

Ce tri entre bien et mal, entre bons et méchants, est toujours opéré avec des critères antiques, à partir d'une réalité vieille de plus d'un siècle. Karl Marx, toujours lui, l'avait pressenti : quand une révolution se répète, « la nation tout entière se conduit comme ce fou anglais de Bedlam [1], qui s'imagine vivre à l'époque des anciens pharaons et se plaint journellement des pénibles travaux qu'il doit accomplir comme mineur dans les mines d'or d'Éthiopie. Et tout cela, soupire ce fou, m'est imposé à moi, libre citoyen britannique, pour faire de l'or pour ce vieux pharaon ».

A quelle époque les Français croient-ils vivre, qui voient, en effet, François Mitterrand, à la veille de chaque élection décisive, exhumer les cadavres des martyrs prolétariens de la révolution industrielle, de tous les enfants écrasés dans les mines, des hommes et des femmes opprimés par un capitalisme brutal et archaïque ? C'est qu'il s'agit de stigmatiser Pompidou, Giscard, Barre, les gaullistes comme les dignes successeurs et les émules des exploiteurs de ce temps-là. Comme si la société française n'avait pas évolué depuis l'époque de *Germinal*. « Il a fallu lutter pendant combien d'années, lance-t-il ainsi en 1978, pour que les enfants de moins de dix ans cessent de travailler quatorze heures par jour !

« Vous connaissez tous le rapport Villermé [2]. Vous savez de quelle façon il a fallu lutter pour que les enfants

principes étaient séparés, où l'harmonie régnait (la France rurale d'autrefois). Aujourd'hui, le présent où les principes s'affrontent, se mélangent. Le mal y domine. Il faut donc libérer les humains de ce mal pour permettre à la communauté d'accéder au futur, troisième temps de la gnose qui verra rétablie l'harmonie primordiale (sous-entendu avec moi, Mitterrand !).

1. Asile d'aliénés proche de Londres.

2. Louis Villermé : chirurgien militaire qui a publié en 1840 un tableau de l'état physique et moral des ouvriers dans les fabriques de coton du Nord. Cette enquête est à l'origine de la loi de 1841, première réglementation du travail des enfants.

du peuple aient droit à l'instruction. Quelle lutte il a fallu mener pour qu'une femme qui attendait un enfant puisse s'absenter trois jours de son travail. Oui, il y a une lutte des classes organisée par une classe qui a exercé sa dictature, c'était la bourgeoisie d'argent [1]. »

Un discours que l'on entendra répéter lors de la campagne de 1981.

Cette évocation est bien entendu reprise au sein du parti. « Je suis l'héritier des victimes de la première révolution industrielle, s'écrie Pierre Mauroy en entrant à Matignon. Avec François Mitterrand ce sont les classes exploitées qui accèdent à l'Élysée. » Il ajoutera, lors du débat sur les nationalisations, que celles-ci constituent « la revanche posthume de toutes les générations qui ont été asservies par la machine ».

Au cours du même débat, le ministre Jean Le Garrec évoque par trois fois les discussions de l'Assemblée nationale en 1848 sur la limitation à 12 heures par jour du travail des enfants de moins de dix ans. Il cite même un député conservateur de l'époque, un filateur d'Elbeuf nommé Thémistocle Lestiboudois qui voyait dans cette loi une atteinte à la liberté d'entreprise... comme s'il trouvait en face de lui, sur les bancs de l'opposition, des Thémistocle Toubon, des Thémistocle d'Aubert, des Thémistocle Millon et autres Thémistocle Noir.

En septembre 1987 encore, lors des journées parlementaires du PS, Pierre Joxe se référera à la première révolution industrielle pour dénoncer la politique de privatisations d'Édouard Balladur : « Où est le Zola qui décrira la curée à laquelle se livre sous nos yeux le RPR ? »

Autrement dit, « sur des refrains antiques, faisons des vers nouveaux ».

1. In *Politique 2, 1977-1982,* éd. Fayard, 1981.

C'est que François Mitterrand et ses fidèles ont conscience d'accomplir une mission historique : assurer la revanche du peuple d'aujourd'hui sur les exploiteurs d'hier et leurs complices. L'homme qui entre à l'Élysée n'est pas encore le père de la nation, il est seulement le président du peuple de gauche. Reçu à la mairie de Paris en grande pompe, comme le veut le protocole, François Mitterrand récite à sa manière l'histoire de France. Seules trouvent grâce à ses yeux les pages de gauche ou supposées telles : 1789, 1830, 1848, la Commune, 1936, la Libération, et... 1981. Jacques Chirac lui répond en comblant les vides, de sainte Geneviève à Georges Pompidou.

A droite, on frissonne et on s'interroge : tant de discours fulminants, tant de rêves et de manichéisme annoncent-ils une révolution bourgeoise ou une révolution prolétarienne ? Après tout, la campagne a été menée sur un mode modéré, avec un candidat qui posait placidement devant le clocher d'une modeste église de village, et faisait monter sur les tréteaux Jacques Delors et Michel Rocard comme pour symboliser une gauche gestionnaire. Il laissait même planer un doute sur la participation communiste au gouvernement [1].

Mais, après l'élection, d'autres féaux du premier secrétaire laissent entrevoir l'ombre d'une révolution radicale et brossent avec fougue les fresques du grand soir :

1. « Tant que les communistes resteront comme ils le sont aujourd'hui, éloignés de l'union qu'ils ont brisée, tant qu'ils se cantonneront dans une attitude et dans une campagne passionnément, systématiquement antisocialiste, parfois calomnieusement antisocialiste, tant qu'ils joueront un double jeu entre la droite et la gauche, tant qu'ils resteront alignés sur des positions étrangères dans des affaires aussi graves que celles de l'Afghanistan, il ne me paraît pas raisonnable de penser, ni juste pour que le gouvernement mène une politique harmonieuse, qu'il y ait des ministres communistes. » (Déclaration de F. Mitterrand le 16 mars 1981 au cours de l'émission *Cartes sur table*.)

« Il faut créer les conditions d'un passage irréversible au socialisme », s'écrie Jean Poperen. « Si nous réussissons, il n'y aura pas de retour au passé, certaines forces d'opposition auront été détruites », renchérit Louis Mermaz, au Club de la Presse le 25 octobre 1981. C'est que la gauche marxiste ou marxisante n'admet pas, en vertu du « sens de l'Histoire », qu'après son arrivée au pouvoir, un retour en arrière soit admissible.

Le journaliste Thierry Pfister, très proche collaborateur du Premier ministre, le souligne : « Mauroy est un démocrate. Il n'en demeure pas moins qu'à ses yeux l'alternance après une victoire de la gauche était pour lui un non-sens intellectuel [1]. »

Karl Marx, en effet, décrivait les révolutions prolétariennes comme des forces qui « reculent constamment devant l'énormité indéterminée de leurs propres objectifs, jusqu'à ce que soit créée la situation qui rend impossible tout retour en arrière, et que les circonstances elles-mêmes crient “ c'est ici qu'est la rose *(sic)*, c'est ici qu'il faut danser ” [2]. »

1. Thierry Pfister, *la Vie quotidienne à Matignon au temps de l'Union de la gauche,* Hachette, 1985.
2. In Karl Marx, *op. cit.*

## Tout est possible

Rupture avec le capitalisme, révolution : Léon Blum se serait bien gardé de prononcer ces mots-là. « N'est-il pas constant, demandait-il le 31 décembre 1936, que nous avons poussé le libéralisme économique aussi loin que ne l'avait fait aucun autre gouvernement dans le passé, plus loin peut-être que ne l'aurait fait aucun autre gouvernement dans les conditions présentes ? (...) Nous travaillons en toute loyauté dans le cadre des institutions actuelles, de la société actuelle et du régime de la propriété actuel ? »

Mais il avait ses « gauchistes », au sein même de la SFIO, menés par Marceau Pivert qui proclamait : « Tout est possible (...) Rien ne peut retarder l'heure de la révolution sociale en France. »

« Tout est possible », répètent en chœur les socialistes en 1981, grisés par l'éblouissant état de grâce du joli mois de mai. Il est vrai que lorsque François Mitterrand accède à l'Élysée, le destin lui fait autrement plus de sourires qu'à Léon Blum entrant à Matignon.

François Mitterrand hérite d'une France aux finances saines [1]. Les institutions de la V^e^ République, qu'il a

1. Ce que révèle le rapport Bloch-Lainé remis en septembre 1981 au gouvernement Mauroy, qui l'avait commandé. Selon ce rapport, le

décriées pendant vingt-trois ans, lui garantissent la puissance et une durée de sept ans : l'éternité en politique.

En 1936, le parti communiste soutenait Léon Blum, mais avait refusé de participer au gouvernement. En 1981, il s'est laissé convaincre. En 1936, Maurice Thorez, dont les députés étaient indispensables pour constituer une majorité, pouvait à tout instant exercer un chantage sur l'action du président du Conseil. En 1981, le PS dispose à lui seul de la majorité absolue des sièges à l'Assemblée nationale. Georges Marchais, par l'intermédiaire de ses ministres, est pris en otage par le chef de l'État.

Sous le Front populaire, l'horizon européen charriait de gros nuages noirs : la guerre d'Espagne, la montée du fascisme, le réarmement de l'Allemagne. En 1981, tout est calme aux frontières.

Si, en 1936, la liesse populaire était réelle, les grèves multipliées sur tout le territoire, avant même la formation du nouveau gouvernement, avaient affolé la France bourgeoise, commerçante et paysanne, et divisé le pays.

En 1981, le bonheur ne s'exprime pas aux sons de l'accordéon. On ne danse pas aux carrefours, ni dans les usines, mais l'état de grâce se manifeste dans les sondages, En juin, 74 % des Français se disent satisfaits de la victoire de François Mitterrand : ils avaient été beaucoup moins nombreux à voter pour lui, mais ils se sont vite convertis.

C'est qu'en 1981, comme en 1936, la France hésite entre deux siècles : sous le Front populaire, elle passait tout juste de la charrue au tracteur; dans les années 80, elle entre à tâtons dans la troisième révolution industrielle. Or, François Mitterrand exprime tant de certitudes,

gouvernement Barre a remporté d'indéniables succès (masse monétaire, tenue du franc, balance commerciale, pouvoir d'achat). Au volet négatif : la lutte contre le chômage et l'inflation.

distribue tant de promesses qu'il persuade les citoyens de sa capacité à réussir là où les autres ont échoué. « Avec moi, a-t-il déclaré pendant la campagne, la France ne comptera pas deux millions de chômeurs, je m'y engage. » Et aussi : « Grâce au plan que j'ai développé, je serai en mesure de faire recruter sur les plans public et privé un million, vous m'entendez, un million de jeunes dans l'année. » De même : « Grâce aux 35 heures de travail hebdomadaire, nous créerons 950 000 emplois. » Lorsque le journaliste Guy Claisse lui demande en 1980 : « Ne craignez-vous pas, si vous relancez la consommation intérieure, le risque d'un déséquilibre aggravé du commerce extérieur ? »

– Ce sont là arguments de MM. Giscard d'Estaing et Barre [1] », répond le futur président.

Faut-il voir dans ces propos de tribune l'expression d'une quelconque volonté révolutionnaire, ou plutôt celle d'une méconnaissance des lois de l'économie, et d'un mépris pour l'intendance ? Toujours est-il que les Français vont le conforter dans ses illusions, et laisser croire un instant aux socialistes et au nouveau président qu'ils sont prêts à changer de société.

En octobre 81, deux sondages de la Sofres, l'un pour *le Figaro*, l'autre pour *l'Expansion* révèlent que pour 84 % d'entre eux, c'est l'État qui doit créer des emplois; 59 % des citoyens se montrent favorables aux nationalisations des banques, et 55 % estiment même qu'elles devront être irréversibles. A croire que les Français sont devenus socialistes. « Les Français aiment l'État », titre *l'Expansion*. De quoi donner encore raison à Karl Marx qui écrivait : « Les révolutions bourgeoises se précipitent rapidement de succès en succès, les hommes et les choses semblent être pris dans des feux de Bengale. L'extase est

1. In *Ici et maintenant, op. cit.*

l'état d'esprit quotidien. » Karl Marx ajoute malheureusement : « Mais ces révolutions sont de courte durée, rapidement elles atteignent leur point culminant et un long malaise s'empare de la société avant qu'elle ait appris à s'approprier d'une façon sereine les résultats de sa période orageuse [1]. »

En juin 81, la France en est encore à l'extase. Alors qu'en 1936, , à peine arrivé au pouvoir, Léon Blum se voyait traiter de « hyène puante », ou de « sale youpin » par l'extrême droite, une autre musique arrive aux oreilles du nouvel élu de 1981. Pour un peu la nouvelle opposition lui trouverait beaucoup de charme, comme Chimène avouant dans la parodie du *Cid :* « Qu'il est joli garçon l'assassin de papa. » Et la gauche, qui avait tant brocardé Valéry Giscard d'Estaing lorsqu'en 1974, il annonçait lui-même – *allegro ma non troppo* – qu'« une ère nouvelle allait commencer », cette gauche-là va le dépasser, loin dans la démesure.

Jack Lang le premier donne le *la,* qui annonce sans rire : « Le 10 mai, les Français ont franchi la frontière qui sépare la nuit de la lumière. » Par cette formule désormais célèbre, il assumait un rôle qu'il allait jouer sans relâche pendant sept ans, celui de grand prêtre de la flagornerie mitterrandolâtre. L'encensoir en permanence à la main, il veillera à ce que ne parviennent aux narines du président de la République que parfums de flatterie et fragrances de pommade. Adulez, adulez, il en reste toujours quelque chose.

Il sera fait ministre de la Culture et, honneur rare, se trouvera admis dans le petit cercle des fidèles autorisés à partager le couvert du roi le dimanche soir.

De ce jour, l'art du compliment ira s'exaspérant.

Voici Haroun Tazieff : « J'ai vécu de grands moments,

1. Karl Marx, *op. cit.*

le Front populaire, le débarquement des Alliés du 6 juin 1944, la Libération... Mais ce que je viens de vivre aujourd'hui dépasse tout ce que j'avais vécu, nous avons retrouvé la démocratie et la liberté. »

Il sera fait secrétaire d'État.

Voici Pierre Mauroy : « C'est une aube nouvelle qui se lève. Avec nous la vérité voit le jour. ».

Il sera fait premier ministre.

Voici Jacques Fauvet, directeur du *Monde,* qui célèbre le 10 mai en ces termes : « C'est la revanche du respect sur le dédain, du réalisme sur l'illusion *(sic),* de la fonction sur l'artifice. Bref, d'une certaine morale. »

Il sera fait commandeur de la Légion d'honneur et président de la commission Informatique et Libertés.

Voici, dans le même numéro du *Monde,* le critique littéraire Bertrand Poirot-Delpech qui juge l'écrivain Mitterrand : « Toutes proportions gardées, le résultat rappelle Chateaubriand par la recherche de l'envol, de l'image romantique. Et, pour les raccourcis caustiques, sur lesquels généralement cet envol se brise, un Pascal, un Jules Renard. »

Il sera fait chevalier de la Légion d'honneur. Il entrera à l'Académie française.

Voici encore Julio Cortázar, l'écrivain argentin, invité à la cérémonie du Panthéon : « J'habite la France depuis trente ans, c'est la première fois que j'ai beaucoup d'espoir. »

Il sera fait chevalier de la Légion d'honneur.

Mais oui, mais c'est bien sûr, ce 10 mai 1981, un sauveur nous a été donné. Il était grand temps, à en croire ses disciples. Ainsi, Pierre Mauroy s'exclamera : « La France était laissée en jachère depuis vingt-trois ans [1]. »

1. Assemblée nationale, juillet 83, cité par Ch. Millon in *l'Extravagante Histoire des nationalisations,* Plon, 1984.

Jean-Pierre Chevènement confirmera le diagnostic : « Si nous n'étions pas arrivés, la France était condamnée à disparaître en 1990. » Et encore Yvette Roudy, ministre de la Condition féminine : « Si la gauche n'était pas arrivée en France, les femmes auraient été broyées [1]. »

« J'ai des courtisans, mais pas de cour », voudra bien reconnaître François Mitterrand en mars 1986 [2]. Le nier eût été, il est vrai, impossible.

Quel enthousiasme!

Aucun être humain normalement constitué ne pourrait résister à pareil traitement. Léon Blum, toujours prudent et encombré de doutes, s'en méfiait : « Je ne sais pas, avouait-il à ses amis de la SFIO, si j'ai les qualités d'un chef dans une bataille aussi difficile. Et je ne peux pas le savoir, pas plus qu'aucun de vous. » François Mitterrand, lui, est sous le charme. Adulé par ses fidèles, persuadé par les sondages, bientôt convaincu de l'importance de sa mission historique, il se prend à croire que la France doit enseigner au monde l'idéal et les recettes d'un nouveau socialisme. Il réussira là où Blum a échoué.

Afin que nul n'en ignore, il l'affirme sans ambages, lors de sa première conférence de presse le 24 septembre, tout en reconnaissant, mais pour s'en glorifier, que la voie est étroite : « Notre politique va à contre-courant d'une politique répandue dans le monde occidental. » Il a convoqué à l'Élysée tout ce que Paris compte de journalistes, ressuscité le style gaullien, rangé une brochette de ministres à ses pieds, et parle, parle, pendant deux heures et trente-sept minutes. Un record. Devant ce parterre, l'apôtre du socialisme à la française n'hésite pas à lancer un pari qui ne doit rien à Pascal : « Nos voisins, dit-il, finiront par regarder de notre côté en se disant : après

1. Cité par le *Figaro Magazine* le 10 mai 1984.
2. Dans une interview au mensuel *Globe*.

tout, puisque toutes nos issues sont bouchées, celles qu'ouvre la France ne sont peut-être pas si mauvaises. » Ses fidèles partagent son espoir. Ainsi Louis Mermaz qui s'écrie deux mois plus tard : « Je ne conclurai pas que Dieu est socialiste mais que le socialisme tel que nous pouvons le créer, l'inventer en France est une formule dont d'autres peuples peuvent à leur manière un jour s'inspirer [1]. »

A quelles issues songe donc le président?

Le nouveau pouvoir, explique-t-il, va s'attaquer en priorité aux réformes de structure : la reconquête du marché intérieur commencera « à partir de ce pôle industriel et bancaire que vont constituer les nationalisations ». Le développement de l'investissement et de l'emploi, bref, la croissance, sera assuré par le secteur public. Car, le président l'assure, les profits des entreprises privées ne génèrent pas d'investissements. C'est qu'elles font passer l'intérêt immédiat et particulier avant le long terme et le collectif. Les puissances d'argent sont ainsi faites; il faut donc les abattre, par la nationalisation.

Tel est son credo. La foi n'étant rien sans les œuvres, il passe à l'acte.

Les nationalisations, il les veut totales. Ses ministres se divisent sur ce sujet à l'automne 1981; quelques-uns, derrière Jacques Delors, estiment qu'il suffirait à l'État d'acquérir seulement 51 % des actions des entreprises privées [2]; il tranche : l'État s'en appropriera 100 %. C'est lui, aussi, qui décide de nationaliser la quasi-totalité du secteur bancaire, à quelques établissements près [3]. Et il

1. Au soir du congrès de Valence, au Club de la Presse.

2. L'expropriation des actionnaires trop heureux de l'aubaine coûte 45 milliards à l'État, une décision du Conseil constitutionnel ayant alourdi la facture. Entre 1982 et 1986, ces entreprises seront encore dotées de 59 milliards de francs.

3. Le choix du nombre des banques à nationaliser se fondait sur le montant de leurs dépôts. Certains plaidaient que le plancher devait

conclut, satisfait, devant ses ministres : « Cela ne manque pas de souffle. »

Comment expliquer une conviction aussi affirmée ? Par la fidélité à la tradition socialiste ? Mais Léon Blum, le modèle, n'était pas tellement favorable aux nationalisations et n'en a pas beaucoup pratiqué : il a transformé (timidement) le statut de la Banque de France ; l'État a exproprié quelques patrons d'industries d'armement, a acquis la majorité dans le capital des autres, créé enfin en 1937 la SNCF, mais c'était plutôt pour remettre en ordre un secteur quelque peu délaissé et lourdement endetté.

François Mitterrand s'inspirait-il d'autres expériences ? La Suède elle-même, dont le passé socialiste constitue une référence, a très peu nationalisé.

Agissait-il ainsi par opportunité ? Quelques jours avant l'élection présidentielle, Jean Boissonnat a rencontré le candidat Mitterrand. Il a expliqué au micro d'Europe 1 : « Je reste convaincu que M. Mitterrand est plus attaché aux nationalisations comme symbole que comme nécessité. Il sait que, dans la tradition marxiste qui reste dominante à gauche, la ligne de démarcation entre le bien et le mal passe par l'appropriation collective des moyens de production. Y renoncer, c'était donner un prétexte en or aux communistes pour ne pas voter pour lui. » Mais après l'élection, il eût pu montrer plus de souplesse sans courir de grands risques.

Serait-ce l'idéologie qui a poussé le président de la

être fixé à 1 milliard de francs en caisse. D'autres, à 500 millions de francs. Pendant plusieurs semaines il y eut discussion au sujet de la banque Lazard. Fallait-il la nationaliser puisqu'elle avait entre 500 millions et 1 milliard de francs de dépôts. L'Élysée devait trancher. En attendant la sentence les collaborateurs de Pierre Mauroy interrogeaient chaque matin : « Alors, est-ce que Lazard est ressuscitée ? »

Finalement Jacques Attali décida de ne pas nationaliser Lazard.

République ? Il s'en défend. « Par les nationalisations, assure-t-il, je fais ce que de Gaulle a fait en matière nucléaire : je dote la France d'une force de frappe économique [1]. »

En réalité, beaucoup parmi ses proches estiment que la foi nationalisatrice de François Mitterrand s'explique aussi par sa formation chrétienne. Il a côtoyé dans sa jeunesse nombre de catholiques sociaux – des prêtres, religieux et laïcs – qui refusaient l'exploitation et la misère des premiers temps du capitalisme industriel. Il a lu l'encyclique Quadragesimo anno où le pape Pie XI en 1931 condamnait vigoureusement le libéralisme et justifiait la possession par l'État de biens dont l'importance confère « une puissance économique telle qu'elle ne peut, sans danger pour le bien public, être laissée entre les mains des personnes privées »...

« Ce qui à notre époque frappe tout d'abord le regard, écrivait alors le pape, ce n'est pas seulement la concentration des richesses, mais encore l'accumulation d'une énorme puissance, d'un pouvoir économique discrétionnaire aux mains d'un petit nombre d'hommes qui, d'ordinaire, ne sont pas les propriétaires, mais les simples dépositaires et gérants du capital qu'ils administrent à leur gré.

« Ce pouvoir est surtout considérable chez les détenteurs et maîtres absolus de l'argent qui gouvernent le

1. La référence à l'action de Charles de Gaulle en 1945 est fréquente en 1981 chez les socialistes quand ils évoquent les nationalisations. A l'époque, François Mitterrand sollicitait les suffrages des électeurs de la Nièvre en 1946 en leur disant : « Vous direz non aux nationalisations hâtives et coûteuses qui alourdissent nos charges. Non à l'État trust qui se substitue partout à l'initiative privée. » Quelque temps plus tard, le général de Gaulle, lui, émettait des réserves sur la manière dont les entreprises nationalisées avaient évolué, entre les mains des féodaux.

Entre 1958 et 1969 le Général n'a procédé à aucune nationalisation.

crédit et le dispensent selon leur bon plaisir. Par là, ils distribuent en quelque sorte le sang à l'organisme économique dont ils tiennent la vie entre leurs mains, si bien que sans leur consentement, nul ne peut respirer. »

Durant sa jeunesse, François Mitterrand a entendu développer ces thèses-là [1]. Et le régime de Vichy, maréchal Pétain en tête, les a reprises. Car il était imprégné, lui aussi, de la répugnance catholique à l'égard de l'argent.

Voilà pour les nationalisations. La cause paraît entendue, et les mobiles repérés. Mais comment interpréter d'autres actes de foi économique qui nient les réalités les plus évidentes ? Comment expliquer que le nouveau président, réservant l'un de ses premiers déplacements à la Lorraine, déjà en partie sinistrée, annonce, imprudent, que la sidérurgie sera non seulement modernisée, mais aussi « étendue » ? « Aucune entreprise ne devra fermer, dit-il, sans que le premier ministre en soit informé et soit en mesure d'agir, s'il le faut. » Et aussi : « Il était temps que nous arrivions [2]. »

Comment justifier que, rendant visite aux mineurs de Merlebach, il explique (bien entendu à leur grande satisfaction) que l'abandon du charbon, « richesse nationale, sacrifiée par la droite, est une politique absurde et socialement inacceptable ». Ce charbon-là coûte trois fois plus cher que celui que l'on importe : le nouveau gouvernement décide pourtant de relancer la production à un niveau élevé – 30 millions de tonnes en 1990 à partir des

1. Elles ne semblent pas avoir eu la même influence sur son frère, pourtant pétri de la même culture. Le général Jacques Mitterrand, président de la SNIAS, faisait en effet savoir publiquement, le 4 juin 1981, que les nationalisations n'étaient pas, à son sentiment, « d'une urgence capitale et d'un intérêt fondamental ».
2. Le 13 octobre 1981, à Metz.

21 millions de 1981 – et embauche en deux ans 8 000 mineurs.

Qui pourrait amener le président à plus de réalisme, certainement pas les cris de l'opposition et du patronat. « S'ils continuent, lâche-t-il un jour devant des journalistes, ils en subiront les conséquences, ils provoqueront une radicalisation de ma politique. »

Les patrons ? Ils n'ont qu'à dire amen. « Je ne cherche pas à rassurer les patrons, à rassurer les chefs d'entreprise, je leur explique ma politique et je leur demande de la comprendre, je ne leur demande pas un acte de foi, mais d'ouvrir les yeux [1]. »

Et il confie souvent à ses visiteurs, qui se demandent s'il veut ainsi les apaiser ou s'il est en quête de compliments pour sa (relative) modération : « J'aurais pu être Lénine. »

Lénine ? A la différence de celui-ci en tout cas, il n'entend pas se satisfaire de la « révolution dans un seul pays ». Ce qu'il veut accomplir en France, il veut le donner en exemple au monde entier. « La France ne serait pas digne d'elle-même, confie-t-il [2], si elle restait repliée sur elle-même. D'où mon souci, dès les premières semaines, de faire entendre la voix de la France sur tous les continents et dans les instances internationales. »

Le rêve d'une mission universelle de la France est très partagé. Les croisés le caressaient déjà, Napoléon aussi, et bien sûr le général de Gaulle pour qui la France ne pouvait avoir qu'une destinée « éminente et exceptionnelle ». François Mitterrand s'inscrit dans cette lignée.

Dès les premières semaines, il s'emploie à évangéliser le monde avec un mérite d'autant plus évident que, selon lui, le monde entier, ou presque, redoutait sa venue au pouvoir. Six mois avant son élection il confiait : « Je tire

1. 11 décembre 1981, à la télévision.
2. Conférence de presse, septembre 1981.

quelque orgueil... d'avoir pu réunir Brejnev et Kissinger, les dirigeants chinois et sans doute pas mal de dirigeants allemands dans la même prière en 1974 et en 1978 : " Épargnez-nous, Dieu tout-puissant, ce Mitterrand [1]. »

Lors du Conseil européen de Luxembourg auquel il participe pour la première fois le 29 juin 1981, il prêche la naissance d'un « espace social » à l'échelle du continent (c'est-à-dire l'alignement de tous sur la nouvelle législation française) et la relance de la croissance par la stimulation de la demande. Helmut Schmidt et Margaret Thatcher écoutent le débutant, impavides et courtois, mais bien décidés à ne pas bouger d'un centimètre. En juillet, il court expliquer à Ronald Reagan, qu'il n'avait jamais vu, l'urgence d'un nouvel ordre économique mondial. Deux mois plus tard, il est à Mexico. Avec le président de ce pays [2], très à l'aise dans un système où les différences de niveau de vie sont criantes, et les élections toujours truquées il commence par déclarer, mais c'est à propos du Salvador : « Quand les inégalités, les injustices, les retards d'une société dépassent la mesure, il n'y a pas d'ordre établi, pour répressif qu'il soit, qui puisse résister au soulèvement de la vie. » Puis s'adressant, seul, « aux humiliés, aux séquestrés, aux prêtres brutalisés, aux pauvres sans terre », il assure : « Nos idées seront contagieuses, elles feront le tour du monde. » Et conclut : « Quand un Français socialiste s'adresse aux patriotes mexicains, il se sent fort d'une longue histoire. »

Le téméraire! Ignorait-il qu'après 1936 Léon Blum s'était lamenté dans un livre de Mémoires : « Si seulement il nous avait été donné d'allumer à nouveau dans l'Europe entière cette contagion enthousiaste (de la Révolution de

1. In *Ici et maintenant, op. cit.*
2. Le 28 août 1981, la France et le Mexique ont reconnu la représentativité du Front de libération nationale des guerilleros en lutte armée contre la junte salvadorienne.

1789) que Michelet a décrite avec un lyrisme religieux. Malheureusement, bien loin de là, l'Europe était sceptique ou rebelle. »

Si François Mitterrand avait emprunté à Léon Blum son chapeau, il n'avait pas chaussé les mêmes lorgnons.

## L'ère éblumissante – Flux et reflux

(mai 1981 – juin 1982)

Les illusions ont la vie dure : l'éblouissement du rêve mitterrandien se prolongea un peu plus d'un an. Pour des raisons diverses, parfois contradictoires, deux hommes – Pierre Mauroy et Laurent Fabius – se chargeaient de l'entretenir. Le parti socialiste presque unanime les y poussait. Un seul rechignait : celui qui était chargé de faire du rêve une réalité, Jacques Delors. Mais il suivait.

### *Pierre Mauroy ou le prodigue repenti*

En juin 1981, la foi transporte Pierre Mauroy. Il croit revivre la fête de 1936, en goûter tous les sucs, en savourer tous les bonheurs. Il l'a écrit : « De la IIe République à la Commune de Paris, du cartel des gauches au Front populaire, de la Libération à mai 1981, on retrouve une continuité historique. D'abord la joie, cet enthousiasme populaire exceptionnel qui exprime bien plus qu'une simple alternance au pouvoir de forces politiques... [1]. »

1. In *A gauche,* éd. Albin Michel, 1985.

La joie ? Elle ne s'exprime guère. Mais Pierre Mauroy la porte en lui. Il ruisselle d'optimisme. Il en aura besoin. Car François Mitterrand lui confie une mission quasi impossible.

Apprendre le métier de premier ministre est déjà une rude tâche pour qui n'a fréquenté depuis plus de vingt ans que les couloirs de l'opposition. Mais il faut aussi déjouer, chaque jour, les pièges tendus par les apparatchiks socialistes, affronter la mauvaise humeur chronique (voire l'insolence) du président du groupe parlementaire, Pierre Joxe, qui s'occupe ostensiblement à lire son courrier quand le chef du gouvernement vient rencontrer les députés, faire cohabiter dans la même équipe ministérielle des concurrents impitoyables, transformer des tribuns de congrès en hommes de gouvernement, gérer l'union conflictuelle avec les communistes, lutter contre l'influence des conseillers du président, ces « petits maîtres » en qui Michel Jobert voyait des « bouches péremptoires et des vanités satisfaites », promulguer enfin une réforme structurelle par jour.

Vaste programme! eût dit le général de Gaulle. Et beaucoup eussent vite cédé au stress. Mais Pierre Mauroy, le solide, est programmé depuis l'enfance pour le bonheur.

On ne comprend rien au nouvel occupant de Matignon si l'on ignore ce que furent ses vertes années. Il est né sous le signe du Cancer ascendant Cancer : de tout le zodiaque, le plus rattaché à l'enfance. Il en garde un tel souvenir ébloui que très souvent, le soir, il s'attarde à en reprendre le récit pour ses amis, voire pour les journalistes surpris par ces évocations enchantées. Mais qui ressentent peut-être qu'il leur livre ainsi le secret de son comportement.

Une enfance originale : modeste et très protégée à la fois. Aîné d'une famille de six frères et sœurs – avec lesquels il fait, très tôt, l'apprentissage de la vie commune –, le voilà bientôt confié à un oncle et une tante aimants et attentifs et sera préservé et choyé comme un fils unique.

Son père, instituteur laïque, connaît les refrains des chansons révolutionnaires – « chapeau bas devant la casquette, à genoux devant l'ouvrier » – et lui enseigne le respect du populaire. Sa mère, catholique fervente, lui apprend l'autre façon d'être solidaire et généreux.

Ils habitent Haussy, une bourgade de 2 700 habitants, presque uniquement peuplée de familles ouvrières, presque toutes socialistes, dont le lot quotidien est l'effort et la pauvreté. De ce quotidien, pourtant, le jeune Pierre ne relève que l'élan communautaire et le goût de la fête. On les célébrait toutes : Noël, la chandeleur, Pâques, Saint-Éloi, le carnaval. « La vie collective était pour moi celle de la convivialité heureuse et de la gaieté permanente (...). Avec mes yeux d'enfant, je ne voyais pas les ouvriers à la peine, je les rencontrais le soir descendant du train harassés et heureux, je ne savais rien de l'usine, ce n'est que plus tard que je les ai découverts empourprés par l'effort devant les hauts fourneaux. Mais très tôt j'ai su par toutes mes fibres que j'appartenais à cette communauté ouvrière-là [1]. »

Il en a vite conclu que socialisme rimait avec bonheur.

Les Mauroy, couple modeste, sont disposés à tous les sacrifices pour que « l'avocat » – c'est le surnom donné au jeune Pierre qui parle si bien – puisse poursuivre ses études. Il ira donc au collège du Cateau, à dix-sept kilomètres de la maison familiale.

Mais c'est la guerre. Les Allemands occupent bientôt la ville, et aussi le collège. Les professeurs et certains pensionnaires doivent chercher refuge à l'hôtel. Voilà

1. Entretien avec l'auteur, in *Jours de France*.

Pierre Mauroy sous les combles, dans une chambre à lui. Griserie de la liberté. Et tous les professeurs, le soir, à sa disposition.

Quand il rentre à la maison, il n'y rencontre pas plus malheur que privations. « La guerre, pour moi, ce fut une grande histoire de jardinage. Les propriétés herbagères se transformaient, adoptaient la polyculture. Pour faire face aux épreuves nous nous sommes organisés tous ensemble. Nous avons vécu dans une sorte d'autarcie. J'ai appris à semer le blé, à battre au fléau, à couper le tabac [1]. » Bref une sorte de havre de paix, en dépit des batailles la convivialité fait oublier l'épreuve.

Devenu dirigeant national des jeunesses socialistes, Pierre Mauroy leur proposera tout naturellement, en 1950, de créer une puissante organisation de voyages, de détente et de culture populaire, à laquelle il donnera le nom de Léo Lagrange, colosse fougueux comme lui, député du Nord aussi, qui fut en 1936 le sous-secrétaire d'État aux Sports et aux Loisirs dans le gouvernement du Front populaire. Un modèle pour lui. Presque un frère.

L'avènement du socialisme ne peut être qu'une fête. Si elle n'y est pas, Pierre Mauroy la voit quand même. En mai, en juin, il croit pouvoir parler de « l'allégresse des Français ». Et, rétro à n'y pas croire, il ira jusqu'à dire : « Dans l'allégresse des Français, il y a cette impression que les gens du château sont partis et que le peuple aura son mot à dire. »

Tout nourri de l'histoire de 1936, pénétré des leçons de Léon Blum, il a retenu que celui-ci disait : « Pour durer longtemps, il faudra donner très vite le sentiment de la réussite. » Donc il fonce. Il fonce d'autant plus qu'il ne veut pas se trouver accusé un jour de n'avoir été en somme, comme Guy Mollet, homme de sa région, qu'un

1. Entretien avec l'auteur, in *Jours de France*.

honnête gérant du capitalisme. Il faut, pense-t-il, passer à la hussarde. Les grandes réformes se réalisent toujours ainsi.

Les 110 propositions du candidat Mitterrand, il veut les transformer en autant d'actions. En trois ans et deux mois, pendant son passage à l'hôtel Matignon, il fera adopter trois cent quarante textes de loi. Il vise loin : « Nous devons créer, explique-t-il, une avancée vers une société de transition qui nous conduira vers la société socialiste. » Il en est convaincu : la marée rose de 1981 va emporter le capitalisme, comme celui-ci avait supplanté la féodalité.

Il est sur tous les fronts. Celui du chômage d'abord, dont il souffre comme d'une plaie personnelle. Et dont très vite – il voit tout avec les yeux de la foi – il annonce la guérison. Dès novembre 1981, il proclame en Provence : « Que chacun le sache : le chômage sera obligé de céder. » Et quelques jours plus tard, en Auvergne : « A la fin de 1982, il n'y aura plus un seul chômeur de seize à dix-huit ans. » Bigre.

Le programme socialiste veut la relance par la réactivation de la consommation populaire ? Il y incite en termes martiaux et imagés, le 2 novembre à Limoges : « Il est temps de s'engager dans la relance comme les Romains d'Astérix dans la légion. » Ces nationalisations, il en est persuadé, vont permettre une véritable expérimentation sociale. Il n'hésite pas à y voir « une forme de génie français ». Les entreprises placées sous la coupe de l'État deviendront de vrais laboratoires où s'élaborera le monde de demain. Comme la Régie Renault dont on chante alors les louanges. Au cours du débat sur les nationalisations, Jean Poperen célèbre « le premier groupe exportateur de ce pays dont le dynamisme du réseau commercial, la diversification et le renouvellement incessant des productions, la capacité d'invention sont véritablement exemplaires. Est-ce la sclérose, la gabegie à la Régie Renault?[1] »

S'il est un homme qui ne chôme pas en France, à cette époque, c'est bien le premier ministre. Il fait adopter la cinquième semaine de congés payés, l'abaissement de l'âge de la retraite, le relèvement des allocations sociales et les lois Auroux. Il reçoit les nouveaux dirigeants du secteur public, en février 1982, pour leur indiquer le sens de leur action : créer des emplois, réduire le temps de travail et se préparer à la semaine de 35 heures, maintenir le pouvoir d'achat. Bref créer des oasis sociales.

Si on lui reproche de vouloir trop en faire dans un trop court délai, il rétorque que ce serait vrai en système capitaliste mais que l'action du gouvernement obéit à une « autre logique ». Et il s'écrie, lyrique : « Je me sens proche de ces utopistes qui, à force de croire à leur rêve, finissent par l'imposer à la réalité. »

Pourtant, il n'a pas les mains tout à fait libres. Ainsi ne parvient-il pas à faire adopter le projet dit « de respiration du secteur public » qui fixe les conditions dans lesquelles les groupes nationalisés pourront acquérir ou vendre des filiales. Il veut donner à ces groupes plus de liberté, mais l'aile gauche du groupe socialiste y voit une possibilité de pratiquer des privatisations clandestines [2].

Il arrive aussi, bien souvent, trop souvent, que le Premier ministre soit mis devant le fait accompli. Ainsi, au lendemain de la proclamation de l'état de guerre en Pologne, alors que Claude Cheysson, ministre des Relations extérieures, trop sincère comme d'habitude s'écrie : « Nous ne ferons rien, évidemment! », au grand dam des camarades, Pierre Mauroy lui, manifeste fermement sa

1. « Les nationalisations ça marche, voyez Renault », dira aussi François Mitterrand en octobre 81.

2. L'absence de texte législatif engendrera l'anarchie : dans l'été 1984 une trentaine de filiales seront vendues et sortiront du secteur public en toute illégalité.

désapprobation. Or, c'est à ce moment que Gaz de France signe un contrat d'achat de gaz à l'Union soviétique. Un contrat qui accroît la dépendance de la France à l'égard de ce fournisseur de 15 à 38 % de son approvisionnement. Ce symbole fait très mauvais effet et la réalité est dangereuse. Conscients mais un peu tard des inconvénients de l'opération, les responsables socialistes vont s'en rejeter la responsabilité les uns sur les autres, Claude Estier donne la version élyséenne de l'affaire [1].

« La négociation menée entre Gaz de France et ses homologues soviétiques se termine le 22 janvier 82. Le président de GDF informe l'Élysée où la " permanencière " Jeannette Laot ne mesure l'importance de l'information que lorsque, l'ayant à son tour communiquée à Pierre Bérégovoy, elle constate la stupéfaction de celui-ci. Celle du président de la République ne sera pas moindre : nul ne l'avait informé préalablement (...). A l'hôtel Matignon, Pierre Joxe a une explication orageuse avec Pierre Mauroy. »

Les conseillers de Pierre Mauroy démentent avec fermeté ce récit : « Le Premier ministre n'était pas au courant, c'est Bérégovoy, un ancien du Gaz de France qui a été, explique-t-il, le maître d'œuvre de toute l'affaire. [2] »

On ne saura jamais qui a donné l'ordre de signer ce contrat et sous cette forme-là. C'est hélas une loi qui régit souvent les relations Élysée-Matignon.

Il n'importe : Pierre Mauroy, comme tous les premiers ministres, fera comme si. Après le congrès de Metz, où il avait été rejeté dans la minorité en compagnie de Michel Rocard, il avait décidé de montrer une indéfectible fidélité

1. In Claude Estier et Véronique Neiertz, *Véridique Histoire d'un septennat peu ordinaire,* éditions Grasset, 1987.

2. Gaz de France était bien représenté à l'Élysée avec Gérard Renon (conseiller pour l'énergie), Jean-Daniel Lévy (conseiller pour la technologie), tous deux issus de cette entreprise.

à François Mitterrand. Loyal au-delà de toute amertume, il monte à la tribune de l'Assemblée pour justifier une décision qui n'est pas la sienne. Et Lionel Jospin toute morale oubliée lui prête main-forte en indiquant qu'il faut « savoir séparer la logique des droits de l'homme de la logique économique »...

Est-ce au nom des droits de l'homme, cette fois, que Gaz de France signe au même moment un accord avec l'Algérie ? La France accepte de payer le gaz algérien au prix fort : 25 % plus cher que le cours mondial. Ce n'est en tout cas pas au nom de la logique économique [1] !

Pierre Mauroy avalera bien d'autres couleuvres. Dans l'intérêt des vérités auxquelles il croit passionnément, mais aussi parce qu'il n'a pas le choix. « Chaque fois que Mauroy se trouvait en conflit avec l'Élysée, explique l'un de ses anciens conseillers, Bérégovoy (alors secrétaire général) faisait donner le groupe parlementaire et Joxe venait lui mordre les mollets. Voilà pourquoi le Premier ministre a eu hâte de faire entrer Béré au gouvernement. Pour le neutraliser. »

Le Premier ministre n'a pas encore connu le plus dur.

Ce sont d'abord en mars 82 les résultats des élections cantonales : reflux sensible de la gauche, les mesures sociales n'ont pas servi, ni suffi, et la situation économique se dégrade. L'hémorragie de devises se poursuit : « Entre 250 et 400 millions par semaine. » Les prix flambent, les investissements sont en panne. « Les salaires augmentent au rythme de 18 % en France contre 4,2 % en Allemagne, note Jacques Plassard du CNPF, qui met aussi en cause les mesures sociales : Les entreprises de pointe s'en tirent, mais les petites et les moyennes tombent dans un pessimisme poujadiste. Pratiquement, le franc perd 1 % de sa valeur par mois. »

1. Il s'agissait en fait de servir d'exemple pour ouvrir le fameux dialogue Nord-Sud prêché par François Mitterrand à Cancún.

« Il faudra donner très vite le sentiment de la réussite », avait dit Léon Blum. Ce n'est pas le cas. Alors, comment durer ?

Alerté par Jacques Delors et ses propres conseillers, Jean Peyrelevade et Henri Guillaume, Pierre Mauroy fait arrêter dès le début du printemps 82 l'essentiel des mesures d'un premier plan de rigueur qui devra suivre la nouvelle dévaluation du franc jugée dès ce moment inévitable. Un plan de trente pages. Outre les restrictions budgétaires, on bloquera les prix. Jacques Delors propose une politique contractuelle de fixation des revenus. Mais Pierre Mauroy va plus loin. Il décide de bloquer les salaires pour trois mois. Et de réussir ce que l'on croyait impossible d'imposer en France : la désindexation des salaires et une baisse du pouvoir d'achat des salariés. S'il n'entend pas être un autre Guy Mollet, c'est-à-dire mener au pouvoir la politique qu'il dénonçait dans l'opposition, il ne souhaite guère non plus ressembler au travailliste Harold Wilson dont le laxisme mena l'Angleterre à la dérive. Il faut redresser la barre coûte que coûte. Pierre Mauroy en est persuadé. Mais François Mitterrand ne veut rien entendre. Il croit que cette opération d'assainissement peut attendre. C'est trop tôt.

En mai, Michel Jobert, en charge du Commerce extérieur, annonce un déficit record. 100 milliards. On lui en fait grief : « Je recevais, raconte-t-il, des coups de fil d'Alain Boublil, conseiller à l'Élysée qui me demandait où je prenais mes chiffres et me reprochait mon alarmisme. »

Pour l'heure le président n'a qu'un souci en tête le sommet des grands pays industrialisés dont il est l'hôte prévu pour le début de juin. Il a choisi pour cadre le château de Versailles. Il croit toujours à une relance de la croissance par une reprise internationale et à un développement concerté de l'économie mondiale : « Je ne sais pas qui lui avait mis cette idée en tête, raconte Michel Jobert, mais François Mitterrand était persuadé qu'à Versailles il allait obtenir des Américains une baisse de leurs taux d'intérêt et même du dollar. Et que les Japonais l'aideraient en pesant sur Reagan. Il me disait : " Soyez très gentils avec les Japonais. " Je lui répondais : " Taratata. " En fait à Versailles tout le monde dormait, Reagan dormait, les Japonais aussi... Nous avons bu de si bons vins [1]. »

Le tout-Élysée s'affaire donc à préparer Versailles. Alors l'intendance... C'est tout juste si Pierre Mauroy parvient à s'entretenir de la situation avec le président. « Lors du sommet, on retrouvera entre les deux hommes le même déphasage psychologique que lors des cérémonies du 21 mai 81. Cette fois, ce n'est plus dans la voiture présidentielle des Champs-Élysées que se situe le dialogue surréaliste sur la dévaluation, mais derrière des paravents où le chef de l'État et son Premier ministre enfilent leur tenue de soirée pour assister au dîner officiel dans la galerie des Glaces... " Je ne peux plus tenir... Je ne peux plus tenir ", se lamente le chef du gouvernement. Mais le Président rêve encore à une relance mondiale concertée [2]. »

Alors pas question de le convaincre, pas question de changer de politique. Pour preuve, quelques jours auparavant (le 23 mai 82), François Mitterrand, ayant quand même trouvé le temps d'un voyage en province, s'exclamera en passant par la Creuse : « Je ne sais pas pourquoi un gouvernement de la gauche ferait la politique de la droite, ou bien il faudrait me dire que la règle de

1. A cette époque les Américains étaient très irrités par les Européens lancés selon eux dans une course éperdue aux faveurs de Moscou (la signature du contrat sur le gaz entre la France et l'URSS fait partie du contentieux). Pour arracher des contrats c'était à qui offrirait de meilleurs crédits. L'Amérique entendait y faire échec. Dans ce contexte un accord était impossible.

2. In Thierry Pfister, *op. cit.*

la République est toujours la politique de la droite. »

Seulement, l'avant-veille, devant les sections d'entreprise du PS, Pierre Mauroy avait laissé prévoir une inflexion de sa politique. Oh! très discrètement. Mais en annonçant, mine de rien, la fin du rêve mitterrandien. D'abord par le rappel d'une vérité d'évidence : « L'entreprise est d'abord et avant tout un lieu de travail. »

Ensuite en notant : « Les derniers indices économiques confirmant qu'il nous faut dans la rigueur redoubler d'efforts pour atteindre l'objectif que nous avons annoncé... il nous faudra modérer davantage l'évolution des revenus et des salaires. »

Il a dit « la rigueur ». Non sans courage, alors que la cour du social monarque de l'Élysée lui répétait sur tous les tons que tout allait pour le mieux dans le meilleur des mondes. Il a dit la rigueur, mais non la pause.

La « pause » est un mot tabou à gauche depuis le 14 février 1937. Ce jour-là, à la mairie de Montrouge où siégeait le conseil national du parti socialiste, Léon Blum avait confessé : « Désormais s'affirme la nécessité d'une pause : nous allons traverser la période la plus difficile, au bout de laquelle nous repartirons s'il y a lieu avec un nouveau programme. »

Et la pause, dénoncée par la gauche socialiste et par les communistes, avait précédé de peu la chute du Front populaire. La pause était déjà l'aveu de l'échec.

Dès novembre 81, pourtant, un ministre de Pierre Mauroy avait osé parler de pause : celui qui a la charge de l'économie, Jacques Delors.

### *Jacques Delors, le souple et le rebelle*

Au printemps de 1936, alors que Léon Blum lançait son programme social, un député lui avait rappelé la rudesse des lois de l'économie. « Si demain, disait-il, le Parlement votait une loi abrogeant en France les lois de la pesanteur, celles-ci continueraient à jouer. De même, lorsqu'on viole les lois économiques, elles se vengent. La politique du gouvernement va au rebours de l'expérience universelle. »

Celui qui parlait ainsi, Paul Reynaud, figurait parmi les chefs de l'opposition.

Au printemps de 1981, un autre homme en pense tout autant. Seulement celui-là n'est pas dans l'opposition. Bien au contraire : Jacques Delors a accepté de devenir le ministre des Finances de François Mitterrand. A la surprise de bien des socialistes, et peut-être à la sienne. Parce que entre cet ancien syndicaliste chrétien, ex-haut fonctionnaire du Plan, et le nouveau président de la République, les relations ont toujours été complexes, hésitantes, difficiles. Comme s'ils étaient condamnés depuis toujours à chanter en chœur (mais non à l'unisson) : « Tu veux ou tu veux pas? »

En 1965 Jacques Delors refuse de faire partie du contre-gouvernement formé par François Mitterrand, qui vient de mettre le général de Gaulle en ballottage. Mais en 1969, il accepte de devenir le conseiller du gaulliste Jacques Chaban-Delmas, nouveau Premier ministre. Pour lui, il travaillera au programme d'avenir connu sous le nom de « Nouvelle Société »; avec lui, il définira et mettra en œuvre la politique contractuelle. Et voilà qu'en 1974, Chaban rate son entrée à l'Élysée. Le vainqueur, Valéry Giscard d'Estaing, propose un portefeuille à Jacques Delors qui refuse... et adhère au parti socialiste.

Va-t-on l'accueillir avec transports et dérouler pour lui le tapis rouge? Au contraire. On n'ouvre pour le repenti qu'une petite porte, celle de la section du PS du 12^e^ arrondissement de Paris, dont les camarades l'observent avec hauteur, méfiance, et crainte. Qu'il abjure d'abord, qu'il renie son ancien maître, Chaban, qu'il renonce au capitalisme, à ses pompes et à ses œuvres. Qu'il donne mille preuves de sa conversion, s'il veut être racheté !

Un rude purgatoire. D'autant que l'homme, obstiné, refuse d'adhérer totalement aux dogmes. Notamment au programme commun.

En 1976, pourtant, François Mitterrand crée pour lui le titre et la fonction de « délégué aux relations économiques extérieures ».

Le premier secrétaire admire l'intelligence et le talent d'exposition de son délégué ; mais il le juge caractériel et trop vétilleux. Jacques Delors, de son côté, voit en François Mitterrand un politicien trop cynique – « C'est un chrétien qui a mal tourné », dit-il [1] – mais dont il admire le savoir-faire.

Bref, le courant ne passe pas. D'autant que Jacques Delors entend marquer son autonomie. En 1977, il refuse aux caciques du parti, premier secrétaire en tête, d'aller se présenter aux municipales à Roanne. Surtout, il répète à qui veut l'entendre que rupture avec le capitalisme, révolution et lutte des classes sont des concepts rétrogrades et qu'il faut réformer par le dialogue.

Rapprochement en 1978 quand Michel Rocard prend des distances ostensibles avec François Mitterrand. Il faut à celui-ci un homme réputé être un gestionnaire imaginatif et compétent. Jacques Delors fera l'affaire.

Éloignement en 1979, au congrès socialiste de Metz. François Mitterrand s'est découvert un nouvel économiste cher à son cœur, Laurent Fabius, qui trouve des accents d'ayatollah vengeur pour proclamer : « Entre le Plan et le marché, il y a nous, le socialisme. » Façon d'envoyer au

1. Gabriel Milesi, *Jacques Delors*, éd. Belfond, 1985.

rebut les lois économiques dont Michel Rocard prêchait l'ardente obligation. A la tribune, François Mitterrand semble avaler une délectable gourmandise. Dans la salle, Jacques Delors, pourtant resté fidèle au premier secrétaire, ne se prive pas de s'offusquer de ces propos de pure démagogie. Au spectacle de Fabius, nouveau venu déchaîné contre un Michel Rocard qui milite depuis presque trente ans, il finira par quitter la salle en disant : « C'est honteux. » Du coup, il compte un ennemi de plus : Laurent Fabius à qui des bienveillants ont rapporté le propos.

Éloignement encore en 1980 : Jacques Delors refuse de voter le projet proposé par Jean-Pierre Chevènement qui servira à dresser la liste des 110 propositions du candidat socialiste : il le juge irréaliste.

Pourquoi, dès lors, accepte-t-il le ministère des Finances, un ministère que François Mitterrand repousse de manière symbolique – on n'avait jamais vu cela – au seizième rang dans l'ordre protocolaire [1] ? Par fidélité ? ambition ? masochisme ? désir de participer à une expérience que l'on prévoit historique ? espoir de peser sur les événements ? volonté d'éviter le pire ?

Il y a, dans sa décision, un peu de tout cela, sans doute. Comme il y a un brin de sadisme dans le geste présidentiel.

Le voilà, en tout cas, premier exécutant d'un programme qu'il réprouve.

Alors, il compense en grognant.

Quand au soir des législatives, en juin 81, on sable le champagne à l'Élysée et au siège du PS, rue de Solférino, il murmure : « Notre succès est trop grand, nous allons faire des bêtises. »

1. Celui qu'occupait le ministère du Commerce et de l'Artisanat pendant le septennat de Valéry Giscard d'Estaing.

Dès le 10 juin, alors que Pierre Mauroy augmente le SMIC, les allocations et les subventions en tout genre, il se met le premier à parler de « rigueur » et prêche « la vigilance dans la relance ».

Les prix galopent : + 1,7 % en juillet, + 1,5 % en août. Il veut les bloquer. On ne l'écoute pas.

On ne l'écoutera pas plus au lendemain de la première dévaluation, le 4 octobre 1981, quand il ébauche en Conseil des ministres un premier plan d'austérité, avec des réductions budgétaires, contrôle des prix et progression des revenus. Il prêche dans le désert.

On ne l'entend toujours pas quand il se prononce contre une appropriation à 100 % par l'État des actions des entreprises nationalisées. Ni quand il tente de s'opposer à la nationalisation du crédit. Thierry Pfister raconte [1] : « Alors que la campagne contre les nationalisations ne cesse de prendre de l'ampleur, Pierre Mauroy se montre inflexible. " Tous ces gens-là, petits banquiers et hauts fonctionnaires, sont nos adversaires, s'exclame-t-il. Il faut les priver d'espoir. Après, cela ira mieux. " Tout en s'attachant par sa faconde à détendre l'atmosphère, le premier ministre observe les physionomies... Laurent Fabius demeure impénétrable, Jacques Delors se révolte. Il s'oppose à la nationalisation des banques et accuse les participants de vouloir préparer la " rupture avec le capitalisme ", dans la seule perspective du prochain congrès du parti socialiste à Valence. Tenant de manière prémonitoire des propos qui seront ensuite repris par Jacques Chirac, le ministre de l'Économie et des Finances prédit : " Vous allez vous casser la gueule, je vous donne rendez-vous en 82. " »

Mêmes réserves de Jacques Delors à propos de l'impôt

1. In *la Vie quotidienne à Matignon au temps de l'Union de la gauche*, *op. cit.*

sur les grandes fortunes. Non qu'il soit hostile au principe, mais c'est la formule retenue qu'il rejette. Faire payer les riches ? Jacques Delors n'est pas enthousiaste, « il ne faut pas, dit-il, décourager les généraux et les capitaines de notre appareil productif ».

Toujours contre et toujours seul. Le budget de 1982 est préparé sans lui par Laurent Fabius et les conseillers de François Mitterrand. Les dépenses augmentent de 27,5 %. Le déficit est multiplié par trois, mais curieusement, Jacques Delors entend néanmoins en prendre la responsabilité en le signant. Laurent Fabius qui n'a toujours pas digéré la sortie de Jacques Delors au congrès de Metz et qui ne supporte pas d'être ministre délégué au lieu d'être ministre à part entière, refuse. Il entend signer le budget tout seul. Comme un grand ! L'arbitrage de l'Élysée est demandé. François Mitterrand tranche en faveur de Laurent Fabius. Il ne reste à Jacques Delors que le recours de Matignon où il vient porter son chagrin et proposer, comme souvent le lundi au premier ministre qui a pris l'habitude de l'inviter pour le déjeuner ce jour-là : « Pierre, je m'en vais, et si on démissionnait tous les deux ? »

Mais toujours on le retient. Le chef de l'État qui le qualifie à plusieurs reprises d' « emmerdeur » a besoin de sa caution. Son départ ferait basculer une monnaie déjà mal en point. Les faits, pourtant, lui donnent raison. Fin octobre, on recense 2 millions de chômeurs.

Alors Jacques Delors franchit le Rubicon. Le 29 novembre il déclare à RTL : « Mon opinion personnelle est claire : il faut une pause dans l'annonce des réformes. » Le propos est nuancé. Il ne s'agit pas de pause dans les réformes engagées, mais de pause dans l'annonce des réformes nouvelles. Mais enfin, il l'a dit, il a osé, il a prononcé le mot pause.

A gauche, cette petite phrase fait l'effet d'une bombe. Jacques Delors vient de parler comme Léon Blum. Il l'a fait, comme lui sous la pression des faits, têtus, et des chiffres mauvais. Mais alors que Léon Blum ne s'était résigné à évoquer la pause qu'après huit mois d'exercice du pouvoir, Jacques Delors n'a même pas laissé s'écouler un semestre. Les militants son tourneboulés.

François Mitterrand en personne va lui répondre, la mine dégoûtée comme si « pause » était un mot grossier et inconvenant : « S'arrêter maintenant paraîtrait stupide, déclare le président. M. Delors a énormément de qualités. J'ai toute confiance en lui, mais je n'aime pas ce mot que M. Delors a employé. Personnellement je ne l'emploierai pas [1]. »

Les mitterrandologues savent décrypter le message. Ils traduisent : le président est fort en colère. Signe évident du courroux élyséen : Jacques Delors se voit appeler Monsieur. Cette tournure est en général réservée à l'adversaire afin de montrer une distance. François Mitterrand dit Monsieur Barre, Monsieur Giscard d'Estaing, comme pour dresser des barrières, tandis que, parlant de ses proches, François Mitterrand use en général du nom ou du prénom, à moins qu'il ne mette en avant leur titre.

Mais il est plus facile de récuser les mots que les choses. Les mauvais résultats continuent de s'accumuler. Au début de 1982, on constate que la relance de la consommation populaire a surtout stimulé les importations – « Nous avons travaillé pour les Allemands et les Japonais », se lamente la droite –, que les hausses des salaires ont alimenté la hausse des prix et que les 39 heures n'ont pas suscité la création d'emplois supplémentaires.

Pierre Mauroy répète après le président qu'il n'est pas question de pause, mais il s'inquiète lui aussi. Entre le premier ministre et le responsable des finances, les liens

1. A la télévision, le 11 décembre 1981.

personnels se resserrent. La presse commence à parler d'un axe Rivoli-Varenne qui s'opposerait à l'axe Élysée-Solférino [1].

Elle n'a pas tort. Le premier plan de rigueur est élaboré par les collaborateurs de Pierre Mauroy et de Jacques Delors, un document qui sera envoyé à l'Élysée le week-end précédant le sommet de Versailles. « Je ne sais pas si le président l'a lu dès ce moment-là », note l'un des rédacteurs du plan. François Mitterrand est alors tout entier à son projet : faire bouger les Américains, mettre en ordre un nouvel ordre économique mondial. Jacques Delors y croira lui aussi, qui, pendant le sommet, évoquera devant les journalistes une probable « pacification des monnaies ». Mais hélas les efforts du président ne porteront guère de fruits. Il aurait dû se méfier. En 1975, lors du premier sommet des grands pays industrialisés, organisé à l'initiative de Valéry Giscard d'Estaing à Rambouillet, le premier secrétaire socialiste, devant l'absence de résultats de la réunion, avait alors raillé cet « étonnant mariage verbal du péremptoire et du dérisoire ».

9 juin 81. Il semble encore planer ce président qui réunit la presse à l'Élysée trois jours après l'issue du sommet. « Nous suivons la même politique, dit-il, nous gardons les mêmes objectifs, mais nous allons passer d'une étape de plaine à l'étape de montagne. »

Par cette formulation, empruntée au jargon du Tour de France, le chef de l'État voulait, paraît-il, annoncer la dévaluation et des jours plus difficiles. Faute d'être plus clair, la presse n'y voit que du feu. D'autant qu'interrogé sur le point de savoir si une action plus radicale en matière de contrôle des salaires et des prix ne lui

1. Ministère des Finances-Matignon contre Élysée-parti socialiste.

paraîtrait pas nécessaire, il répond : « L'action radicale ne peut être entreprise que si les autres méthodes ont échoué... Nous pensons que l'intérêt général commande, que les intéressés d'abord se concertent et que l'État ensuite en tire les conclusions. Elles seront tirées s'il le faut. »

Tout cela est si vague que les journalistes ne retiennent que son euphorie à se lancer dans les grands travaux : l'Opéra de la Bastille, Le Grand Louvre. C'est bien, croient-ils, que le pouvoir en est encore à ses folies dépensières.

12 juin 81. Le franc est dévalué pour la deuxième fois et le premier plan de rigueur mis en chantier. Blocage des prix et des salaires.

A force d'entêtement, Jacques Delors a fini par convaincre Pierre Mauroy de s'engager dans cette voie. Mais seul le Premier ministre pouvait faire admettre au président l'indispensable changement de cap.

Du coup celui-ci apparaît bien déphasé. « Puisque vous le jugez nécessaire », commentera-t-il lors du Conseil des ministres qui prend la décision d'enclencher cette nouvelle politique. Pour ne pas être en reste, François Mitterrand décide de porter à quatre mois le blocage des salaires au lieu de trois comme le proposait Pierre Mauroy. Changement radical d'attitude ? Pas encore. Il s'agit seulement de manifester où se trouve l'autorité suprême. A l'Élysée !

### *Laurent Fabius, ou baby Blum*

« Giscard a un problème : c'est le peuple », disait jadis Charles de Gaulle. Laurent Fabius a le même. Tel un frère cadet de l'ancien président, il montre un visage lisse sur lequel ne transparaît jamais la moindre émotion, il a l'élocution distinguée et savamment blasée, l'allure d'un jeune et svelte bouddha. Et quand, jeune député, il monte pour la première fois à la tribune de l'Assemblée, pour attaquer le budget 1979, parlant aisément, sans une note, les vieux huissiers du Palais-Bourbon se frottent les yeux : Bon sang, mais c'est Giscard!

Élevé à l'ombre des jeunes filles en fleur, marié dans la grande bourgeoisie, conseiller d'État, féru de belles-lettres dès sa jeunesse, tenant salon très fréquenté, Léon Blum lui non plus ne faisait pas très peuple. Mais depuis qu'en 1920 il avait fait don de sa personne au socialisme français, il l'incarnait. Nul ne songeait à lui demander des preuves de sa sincérité.

Fils d'un grand antiquaire, élevé dans une maison particulière sur la colline de Chaillot et dans les écoles où l'on forme les notables, Laurent Fabius a fait don de sa personne à François Mitterrand. Ce qui n'est évidemment pas une suffisante estampille de gauche. En compagnie de Jacques Attali – qui, lui, a fait don de son intelligence au premier secrétaire – ils se voient attribuer une mission délicate entre toutes : l'éducation économique de celui-ci.

Ancien major de Polytechnique, Attali écrit des livres ésotériques aux titres plus sibyllins les uns que les autres – *la Parole et l'Outil, l'Anti-économique, la Figure de Fraser* –, dont l'obscurité ne se dissipe que pour de rares initiés. Le vulgum pecus, et même le moins vulgum n'y comprennent que pouic. Ces livres, par le brouhaha qu'ils suscitent dans les milieux parisiens, confèrent une aura intellectuelle à leur auteur et par ricochet à son maître. Telle est leur finalité suprême. La tâche de Laurent Fabius est au départ plus modeste : écrire les discours du premier secrétaire. Celui-ci l'apprécie vite. « Savez-vous, demande-t-il, qui traduit le mieux ma pensée? Laurent Fabius! »

« Sous des dehors de jeune homme sage, Fabius est

habité d'une passion dévorante, le jeu. Son tapis vert serait la France et sa banque le pouvoir (...) Il a une idée simple qu'il met en œuvre avec une froide lucidité : sa carrière professionnelle (...) Pendant quatre ans, il se glisse discret dans l'ombre de François Mitterrand. Le brouillon Jacques Attali ne peut le gêner... Bientôt devenu indispensable au premier secrétaire, il ne tarde pas à ramasser ses premiers gains : une base électorale inexpugnable [1]. »

Comment l'obtient-il ? En écartant de la candidature un ouvrier. Une attitude pour le moins surprenante quand on veut se marquer à gauche.

« Pour atteindre son premier objectif stratégique, il opère un double mouvement : d'une part, il flatte un notable vieillissant, Tony Larue, député de Seine-Maritime et maire du Grand-Quevilly, en attendant de pouvoir capter l'héritage. D'autre part, il s'applique méthodiquement à abattre le maire d'Elbeuf, qui est de taille à lui ravir l'investiture socialiste dans cette circonscription.

René Youinou, qui a créé le syndicat CFDT de Renault-Cléon, est l'un des rares ouvriers à qui le parti socialiste aurait pu ouvrir les portes de l'Assemblée nationale. Entre un syndicaliste ouvrier et le fils d'un grand antiquaire parisien, le choix des militants n'est pas douteux. François Mitterrand préfère trancher préalablement. Laurent Fabius devient député en juin 1978 [2]. »

C'est l'époque où il prétend, devant des journalistes, que son père est « un petit brocanteur », tout comme son modèle François Mitterrand avait écrit dans les colonnes du *Who's Who,* avant sa première candidature présidentielle, qu'il était fils de cheminot [3]. Bien des hommes politiques souffrent de leur ascendance. Pierre Joxe, fils d'un ambassadeur-ministre, ne s'est jamais tout à fait

1. Thierry Pfister, *op. cit.*
2. *Ibid.*
3. *Cf.* Catherine Nay, *le Noir et le Rouge,* p. 25.

remis de n'être pas né dans la famille d'un militant ouvrier de la CGT. En revanche le grand bourgeois Valéry Giscard d'Estaing aurait tellement aimé avoir pour géniteur un duc et pair de France... Rien n'est simple en ce bas monde!

Le congrès socialiste de Metz va fournir à Laurent Fabius l'occasion, attendue depuis des années, d'acquérir un solide brevet de militant de gauche : le discret collaborateur du premier secrétaire se mue soudain en polémiste impitoyable pour abattre Michel Rocard. François Mitterrand, charmé, lui décerne un premier galon.

Son deuxième galon à l'épaulette gauche, Laurent Fabius le gagne au feu : en attaquant sans nuances le gouvernement Barre. « J'accuse le gouvernement, s'écrie-t-il aux journées parlementaires du PS en septembre 1980, de cacher au pays le nombre de chômeurs que sa politique va créer : deux millions à deux millions et demi de chômeurs d'ici cinq ans. » Pronostic, hélas, vérifié. Mais cinq ans plus tard, c'est Laurent Fabius qui gouverne et il est ministre depuis quatre ans...

Et devenu ministre, il a gagné son troisième galon de gauche. Puisque, à l'hôtel Matignon, Pierre Mauroy se croit revenu en 1936, il a, lui, au ministère du Budget, fait mieux qu'en 1936. Il a ouvert les vannes et dépensé sans compter.

Jacques Faizant relève que l'anagramme de Laurent Fabius est « naturel abusif ». De fait, le jeune Laurent abuse. Il concocte un budget fou, fou, fou, à partir d'hypothèses d'un rare optimisme. C'est ainsi qu'il prédit à l'Assemblée nationale, en octobre 1981, une croissance de 3,3 %; elle n'atteindra même pas la moitié de ce chiffre : 1,3 %. Il fait progresser, d'un coup, les investissements publics de 32 %.

La première année du gouvernement socialiste est une débauche d'étatisme. Pour lutter contre le chômage on embauche 61 000 fonctionnaires. (En tout 185 000 jusqu'en 1983.) On s'apercevra vite de l'effet pervers de cette thérapeutique. On étend aux 1 100 000 fonctionnaires des collectivités locales les garanties d'emploi et de carrière déjà accordées aux 2,2 millions d'agents de l'État [1]. Ainsi les communes se voient à leur tour dotées d'employés inamovibles, mesure dont on devine l'influence sur les budgets municipaux. Laurent Joffrin, journaliste à *Libération,* écrit : « Le nombre des travailleurs bénéficiant peu ou prou d'un statut protégé a été porté à environ 5 millions de personnes. Il y a en France 6 millions d'ouvriers. Infanterie de la guerre économique exposée aux plus grands risques, la classe ouvrière se retrouve à peine plus nombreuse que les embusqués de l'arrière. En 1981 les ronds-de-cuir ont gagné [2]. »

La générosité de Laurent Fabius ne connaît pas de bornes. Seulement voilà : les choses se gâtent quand il faut établir la facture, c'est-à-dire chercher des recettes fiscales. Bien sûr, on fait d'abord « payer les riches », comme disent les communistes, en créant l'impôt sur les grandes fortunes, en établissant une surtaxe sur les gros revenus, et en supprimant l'anonymat sur les transactions d'or. Toujours soucieux de renforcer une image de gauche encore pâle, Laurent Fabius veut même inclure les œuvres d'art dans l'impôt sur la fortune (Freud y aurait vu une manière de pratiquer le meurtre du père). Mais François Mitterrand s'y oppose.

Et l'on revient bientôt à des conceptions plus raisonnables en excluant de l'assiette de l'impôt sur les grandes fortunes tout ce qui constitue l'outil de travail.

Pour le reste, c'est toujours le même refrain : sus à l'argent! Mort au profit! Résultat le plus net : les cadres,

1. Mesure également votée par le Sénat à majorité de droite.
2. In *la Gauche en voie de disparition,* éd. Le Seuil.

qui avaient voté en grand nombre pour François Mitterrand (lequel avait solennellement promis la modération fiscale) se voient surimposés. Ils en tireront la conséquence dès la consultation électorale suivante. Mais le ministre du Budget, qui n'a jamais été en manque d'argent, n'a toujours qu'une idée fixe : dénoncer et combattre tous ceux qui en ont. Si bien que le député RPR Jacques Marette lui lance, lors du débat budgétaire : « Vous avez à l'égard du profit et de l'argent la même attitude moralisatrice, hypocrite et en définitive névrotique que la société bourgeoise de la fin du XIXe siècle à l'égard du sexe... Le pouvoir socialiste tente de culpabiliser les citoyens en usant de la même référence obsessionnelle au péché d'argent. »

Faire payer les riches ne suffira pas. Dès le 1er septembre 1981, on annonce un déficit budgétaire record pour l'année suivante. Dans une interview au *New York Herald Tribune,* le ministre du Budget va même, imprudent, laisser prévoir une impasse de l'ordre de 100 milliards. De quoi provoquer, bien sûr, de nouvelles attaques contre le franc. Et conduire au bord de l'apoplexie Jacques Delors toujours tourné, court-circuité, dépassé par ce louveteau qui n'a que deux idées en tête : plaire au vieux mâle de l'Élysée, et être admis à chasser parmi les grands de la meute, ceux qui sont nés à gauche. Il peut s'arracher les cheveux, le ministre des Finances : les sorties de devises s'accélèrent, et les rumeurs de dévaluation reprennent.

Il a beau multiplier les mises en garde et les protestations, rien n'y fait : ce damoiseau, pressé d'être marqué à l'épaule gauche de l'estampille du prince, continue à ferrailler au premier rang. Pour déclarer, ici [1], que Raymond Barre s'était lourdement trompé en pensant

1. Le 25 octobre 1981 à l'Assemblée.

que « la baisse des salaires réels fait les profits, les profits font les investissements et les investissements les emplois ». Ce sera pourtant son credo à partir d'avril 83. Pour ajouter, là [1], qu'il faut placer « au premier rang des objectifs du gouvernement le pouvoir des travailleurs dans l'entreprise ».

De quoi effrayer les bourgeois et les patrons. Et il y parvient. Le baby Blum se hisse sans cesse sur la pointe des pieds pour se montrer à la hauteur de son modèle. Et dans son ardeur de néophyte, il est conduit à aller bien plus loin que lui. Trois ans plus tard, trois ans plus tard seulement, François Mitterrand le choisit pour mettre en œuvre la nouvelle politique du septennat : le retour aux idées libérales.

1. Le 8 octobre 1981 à l'Assemblée.

# Le parti Hop là Blum!

Quand l'histoire accepte de repasser les plats, mieux vaut savoir en profiter. Pas question de chipoter, de traîner un manque d'appétit, ni même de manger à la carte. En 1981, les militants socialistes veulent, tout de suite, tout le menu. Entendez tout le programme.

Ils sont avides d'obtenir ce que leur ont promis, à grand renfort de discours, de motions et de projets, les camarades qui viennent d'arriver au pouvoir. A leurs yeux, la nouvelle politique de la France se marquera à gauche par l'ensemble des mesures qui nourrissent, depuis des lustres, leurs rêves les plus chers. Pêle-mêle : la fin des ventes d'armes, la réduction à six mois de la durée du service militaire, l'arrêt de la construction des centrales nucléaires, le droit de vote accordé aux immigrés pour les élections municipales, et départementales [1], la rupture avec le capitalisme, la direction de l'économie par les services du Plan. Et, bien entendu, la création du GSPLUEN (le grand service public laïque et unifié de l'Éducation nationale) attendu par les bataillons d'institu-

1. Après trois années de résidence en France (projet socialiste de 1980).

teurs, de PEGC et de maîtres auxiliaires qui en avaient si longtemps débattu au cours de fiévreuses et enfumées réunions de section.

Ils y croyaient, les militants. On ferait mieux qu'en 36, beaucoup mieux. C'était promis. Alors, juré!

Ils y croyaient, et ils eurent d'abord quelques raisons de s'estimer comblés.

A peine élu, François Mitterrand, rendant visite au salon aéronautique du Bourget, tient à se faire présenter les avions de combat désarmés. La morale est sauve. Il est réglo, ce président qui pendant la campagne s'était engagé « à limiter les ventes d'armes et à apporter la lumière dans un domaine où règne le secret ». Interrogé quelques jours plus tard au Club de la Presse [1], Pierre Mauroy explique : « L'initiative qui a été prise récemment par le président de la République lors de la présentation des avions au Bourget, demandant qu'ils soient désarmés, était certes un geste symbolique, mais qui était bien en harmonie avec la politique qu'entend suivre le gouvernement. »

Pourquoi faut-il que le bonheur des militants soit si fugitif? Dès le 4 juillet, Claude Cheysson, nouveau ministre des « Relations extérieures », déclare au *Nouvel Observateur :* « L'industrie d'armement représente 300 000 travailleurs, elle est un élément essentiel de notre indépendance en matière de défense, et pour notre industrie, une nécessité, ce serait fou de le nier! »

Une déclaration qui a le mérite de la franchise. Mais le ministre y met aussitôt un bémol : « Un pays à régime totalitaire insupportable ne doit pas avoir d'armes françaises utilisables dans la répression. »

Jean Poperen, qui n'appartient pas au gouvernement, précise : « Nous ne fabriquerons plus d'armes pour n'importe quoi ou pour n'importe qui, quitte à jeter de

1. Le 8 juin 1981.

l'huile sur le feu aux points chauds du globe [1]. » Autrement dit, on fera le tri : on fournira des armes aux bons, non aux mauvais; aux colombes, non aux faucons. Un distinguo qui apparaîtra bientôt trop subtil. Un an plus tard, Charles Hernu, ministre de la Défense, avouera dans une interview à Christine Clerc, du *Figaro Magazine* :

« Oui, j'ai bonne conscience quand je vends des armes à un pays si cela l'empêche d'acheter à l'un des deux Grands [2]. » Et il précise avec un plaisir non dissimulé, que le montant de ses exportations, en 1982, est bien supérieur à celui de 1980. En novembre 1983 François Mitterrand expliquera à la télévision : « Oui, nous vendons des armes. Le problème pour nous est d'éviter d'alimenter les lieux où se déroulent les combats. »

Pauvres militants!

Ils n'ont pas plus de chance avec le service militaire. Le manifeste du congrès socialiste de Créteil comprenait pourtant une proposition 105, qui prévoyait, pour les appelés au service national, la liberté de réunion et d'association. Toute censure de l'information, y compris dans les casernes et les prisons, devait être abolie. Et surtout, le service militaire devait être réduit à six mois. Au soir du congrès de Valence, Louis Mermaz persistait : « Nous nous sommes engagés à réduire la durée du service militaire, il faudra le faire [3]. »

Las! Une fois de plus les douloureux pépins de la réalité s'insinuent dans les rouages. Charles Hernu a tôt fait de corriger le propos du président de l'Assemblée nationale « irréaliste à cause du chômage », déclare-t-il à l'AFP. Et Pierre Mauroy d'enchaîner, le 19 octobre sur Antenne 2 : « Lorsqu'il y a 2 millions de chômeurs et que l'on dépense plus de 100 milliards pour cette charge, vous

1. *Le Monde,* 9 juillet 1981.
2. Le 4 septembre 1982.
3. Devant le Club de la Presse d'Europe 1, le 25 octobre 1982.

voudriez qu'un gouvernement irresponsable ajoute immédiatement à ces 2 millions de chômeurs ? La réduction du service militaire à six mois, nous l'appliquerons le moment venu quand nous aurons réglé le problème du chômage. » Adieu la réduction du temps du service. En 1983, Charles Hernu inventera même avec succès le service long pour les volontaires.

Pauvres militants!

Ce n'est pas fini. Selon le projet socialiste, le Plan devait être le « régulateur global de l'économie ». Et François Mitterrand de citer avec faveur le propos de Wassily Leontieff, prix Nobel d'économie, lors d'une visite en France : « Notre temps a besoin du Plan plus que jamais; le marché ne suffit plus [1]. » Mais le Plan devient bientôt, dans le nouveau gouvernement, un placard où l'on enferme Michel Rocard.

De même, pendant la campagne électorale, François Mitterrand s'était très précisément engagé à limiter le programme nucléaire « aux centrales en cours de construction en attendant que le pays puisse se prononcer dans le cadre d'un grand débat démocratique ». Ce grand débat ne sera jamais ouvert. Si la construction de la centrale de Plogoff est effectivement arrêtée, en 1982 et 1983, cinq nouvelles centrales de 1 300 mégawatts sont commandées par l'EDF. Les choix du parti socialiste ont été corrigés par le gouvernement dès octobre 1981. Et si en 1984 on ralentit le programme, ce n'est pas un choix de filière, c'est que les besoins énergétiques de la France sont ainsi satisfaits très largement.

La capacité de l'usine de retraitement de La Hague est même, comme prévu, multipliée par trois, afin, dit-on, de respecter les contrats signés avec l'étranger. Or, La Hague était le symbole du mal nucléaire aux yeux de nombreux

1. In *Ici et maintenant, op. cit.*

militants, de ceux de leurs amis de la CFDT et des écologistes qui avaient voté Mitterrand.

Lors du débat parlementaire sur le programme nucléaire, Gisèle Halimi, député de l'Isère où est construit le surgénérateur Phénix, vient se plaindre à la tribune : « Cela ne correspond pas au programme sur lequel tous les députés avaient fait leur campagne et prévoyant le gel de la construction de toute nouvelle centrale avant que le pays se soit prononcé. » Pierre Joxe lui coupe la parole et juge sa question inconvenante. Elle votera pourtant la confiance au gouvernement sur ce programme.

Pauvre Gisèle, pauvres militants!

Demeure il est vrai le projet majeur : celui du grand service public laïque unifié de l'Éducation nationale. Il est toujours permis de rêver. D'autant que l'on y encourage tous les socialistes, en les priant d'attendre : « Patience, patience, leur dit-on. Laissez faire Savary, il vous a entendus, il vous comprend. » Personne n'imagine alors ce qui va suivre. Ni comment, en 1984, une manifestation monstre obligera à jeter le projet aux oubliettes.

Demeurent aussi les projets d'intégration des immigrés. Un signe encourageant de la volonté gouvernementale est donné le 25 novembre 1981 : la suppression de l'aide au retour, créée sous le septennat précédent pour inciter ces travailleurs à rentrer dans leur pays. Mais la volonté de leur accorder le droit de vote aux élections municipales ne se traduira pas en acte. Claude Cheysson a certes annoncé, en août 1981, que le gouvernement y songeait « très sérieusement ». Mais bientôt, plus personne n'y fait allusion. Quatre ans plus tard, en juin 1985, Georgina Dufoix reconnaîtra qu'une telle réforme serait contraire à la Constitution : « Le droit de vote aux élections municipales est un droit politique lié à la vie nationale du pays puisque les conseillers municipaux élisent les sénateurs. Or, dans la Constitution, le droit de vote est lié à la nationalité. » Nouvelle déception pour les militants qui découvrent que le bonheur est dans l'opposition : là, au moins, on peut ne pas modérer ses désirs.

Demeure enfin, suprême idéal, la volonté de rupture avec le capitalisme. Elle se traduit d'abord par la nationalisation de neuf grands groupes industriels et de tout le système bancaire. Ce n'est pas rien, loin de là, et il y a de quoi réconforter les membres du parti.

D'autres signes de fidélité à l'idéal socialiste leur sont donnés. Ainsi, Laurent Fabius annonce pendant l'été 1981 que le patrimoine professionnel sera pris en compte pour évaluer l'assiette de l'impôt sur les grandes fortunes : voilà qui fait plaisir (mais un plaisir furtif, car le ministre va y renoncer).

Robert Badinter, en novembre, incite les procureurs de la République à intensifier la répression des délits économiques : voilà une véritable satisfaction. Ces délits ont été « trop négligés ces dernières années, souligne le ministre. Or, il s'agit d'une délinquance qui compromet des intérêts collectifs essentiels... La plupart des poursuites concernent des entreprises de taille modeste, mais elles sont souvent engagées trop tard et débouchent sur des condamnations sans portée. Un tel état de choses contribue au discrédit de la justice qui apparaît plus habile à poursuivre le petit voleur qu'à combattre efficacement les auteurs de fraude ». Suivez mon regard. Et si vous n'avez pas encore compris, Gaston Defferre va vous éclairer une bonne fois. Les policiers, expliquera-t-il le 28 septembre, ont été trop utilisés dans le passé à des activités anti-ouvrières.

Les ministres accordent ainsi à leurs camarades de parti quelques menus plaisirs. Mais la vraie fête des militants est célébrée le quatrième dimanche d'octobre : c'est le congrès de Valence. Ils sont encore éblouis de leur victoire, joyeux de se retrouver pour la fêter. Seul manque le héros de leur épopée, François Mitterrand. Il aurait bien voulu venir, il l'avait dit dans un déjeuner avec des journalistes le 8 octobre : « Rien ne s'oppose à ce que le président de la République participe à une telle réunion, même s'il devait rompre ainsi avec la tradition. » Et il avait prodigué ses encouragements aux congressistes : « Le PS a encore beaucoup à faire pour pénétrer l'État. Je l'y encourage vivement [1]. »

Tant pis. Les absents ont parfois tort : les militants devront se contenter d'un message très réconfortant de l'hôte de l'Élysée, ainsi libellé : « Je reste l'un des vôtres, je reste socialiste avec nos idées et nos espoirs, je reste socialiste à la présidence de la République. » Ce sera tout de même un beau congrès. Enthousiaste. Déterminé. On va tout changer. La vie d'abord : c'est promis depuis dix ans. La France aussi, c'est évident. Et pour commencer, les grands serviteurs de l'État – préfets, recteurs, dirigeants d'entreprises nationales – « qui sont déterminés à saboter la politique voulue par les Français ». Paul Quilès, qui ne fait pas encore rimer son nom avec tendresse (ce sera une invention de publicitaires pour les municipales parisiennes), joue les procureurs, sur un ton montagnard qui enflamme les militants : « Il ne faut pas dire : des têtes vont tomber, comme Robespierre à la Convention. Il faut dire lesquelles et rapidement. C'est ce que nous attendons du gouvernement [2]. » Autrement dit : puisque les guillotines sont au rancart, hâtez-vous d'ouvrir les placards.

Quilès n'est pas seul. Voici Louis Mermaz : « Il faut que le gouvernement frappe vite et fort, il faut qu'il

1. *Le Figaro,* 8 octobre 1981.

2. Ces propos, qu'il faut certes replacer dans leur contexte, rappellent fâcheusement ce qu'écrivait en 1924, au lendemain de la victoire du cartel des gauches, Henri Dumay, directeur du *Quotidien,* l'un des journaux qui y avaient contribué : « Les places, toutes les places, et tout de suite. »

frappe à la tête. » Et Jean Poperen : « La lutte des classes ne s'arrête pas parce que les socialistes ont conquis le pouvoir. Elle se déroule seulement dans des conditions beaucoup plus favorables. » Et Gaston Defferre : « Avec les banquiers, c'est simple : c'est eux ou nous. »

Ils n'y vont pas de main morte, les socialistes, qui dans leur motion finale font encore de la rupture avec le capitalisme leur projet de société future. Mais c'est encore Louis Mermaz qui se charge de mettre à feu le bouquet final, au soir du congrès, devant le Club de la Presse : « J'appelle journaliste de droite, dit-il, quelqu'un qui par exemple passerait son temps à expliquer qu'il est impossible d'aboutir à un redressement de la situation économique avec une extension du secteur public. Qui déciderait que les socialistes sont définitivement incompétents en matière économique, ou qui accréditerait l'idée selon laquelle les lois de l'économie, c'est-à-dire les lois du profit, sont éternelles. » Le même Louis Mermaz ajoute : « Il est nécessaire que les entreprises qui resteront privées, et de grandes entreprises le resteront, continuent à réaliser des bénéfices, car si elles réalisent davantage de bénéfices, elles paieront un peu plus d'impôts. » Autement dit, on les plumera comme vulgaire volaille.

Si les militants quittent Valence le cœur en fête, l'opinion s'inquiète. Et le congrès risque de demeurer dans l'Histoire celui des « coupeurs de tête ». François Mitterrand le sent bien qui, le 11 décembre, explique sur le petit écran : « Les socialistes sont de braves gens. Il leur arrive d'être un peu durs dans leurs paroles, mais ce sont des gens généreux. » Il a beau dire encore : « Les chefs d'entreprise et les pouvoirs publics ne doivent pas être adversaires, ils doivent être des partenaires [1]. » Las, le mal est fait. René Bernasconi, patron de la CGPME, s'élève

1. Le 8 décembre 1981.

contre « la volonté d'abaisser les chefs d'entreprise et de les dénoncer comme profiteurs ou spéculateurs! ». François Ceyrac, le patron des patrons, renchérit : « Il n'est pas possible de faire des chefs d'entreprise la cible de toutes les attaques! »

Célébrant les hommes de la révolution de 48 à l'occasion du centenaire, Léon Blum avait noté qu'ils étaient restés sages et modérés « par crainte de semer la peur, d'effrayer une partie de la société française, et d'effrayer l'Europe ». Apparemment, les orateurs du congrès de Valence n'avaient pas lu Léon Blum.

# Chapitre 2

# FRANÇOIS-CAMILLE CHAUTEMPS

(juin 1982-mars 1983)

Le 22 juin 1937, Camille Chautemps succède à Léon Blum. Un radical remplace un socialiste. Le Front populaire est mort, mais la gauche ne veut pas que les Français le sachent. Pour témoigner que juin 36 continue, Blum reste au gouvernement, avec le titre de vice-président du Conseil. Rien ne va changer, le nouveau président du Conseil s'y engage : « La pause ne saurait signifier ni la régression, ni la stagnation. » Léon Blum s'en porte garant : « La pause n'est pas et ne sera pas un recul. Il faut préparer une seconde phase d'action. »

En réalité, c'est l'heure des révisions déchirantes. Il est vrai que l'exécutif n'a pas le choix. Les difficultés économiques se multiplient. La loi sur les 40 heures a fait baisser la production industrielle, l'Allemagne travaille alors 45 heures par semaine et un dimanche sur quatre. L'indice de la production industrielle était de 92 en décembre 37, il tombe à 82 en avril 1938. Le chômage, qui avait commencé par régresser, s'accroît de nouveau. La production de charbon diminue de 11 %, d'une année sur l'autre il faut en importer, alors qu'en Allemagne elle s'accroît de 14 %. Le déficit du commerce extérieur bat des records. Le fonds d'égalisation des changes, du coup, perd dans le seul mois de juin 1937 deux cents tonnes d'or. Les États-Unis ne veulent plus prêter. Morgenthau, ministre des Finances américain, qui pourtant aimait bien Léon Blum, explique, cruel : « Ce serait jeter de l'argent dans l'océan Atlantique. » Édouard Daladier, membre du gouvernement du Front populaire, constate : « Toutes les nations ont largement dépassé les niveaux de prospérité qu'elles avaient atteints dans l'heureuse année 1929. La France est la dernière [1]. » Et le polémiste de droite Henri Béraud s'écrie : « Mais bon Dieu de bon Dieu de sacré bon Dieu de bois ! Qu'est-ce qu'ils ont pu faire de nos sous ? »

Toute la gauche n'est pas indifférente à ces chiffres, loin s'en faut. Certains paraissent même disposés à retrousser leurs manches. Ainsi le puissant syndicat des métaux accepte-t-il le principe de la semaine de 45 heures. Bientôt, par le biais des heures supplémentaires, les chefs d'entreprise pourront assouplir la réglementation du temps de travail. Et l'exécutif se préoccupe de réduire le déficit budgétaire. Sans trouver des solutions d'une fracassante originalité. Il se contente d'augmenter les impôts, les tarifs postaux et ferroviaires, et d'amputer de 1 500 millions les crédits inscrits pour les grands travaux. Bref, il augmente les recettes et diminue les dépenses. Il renonce aussi à la retraite pour les vieux travailleurs et au Fonds national pour le chômage.

Mais s'il se résigne à changer de cap, il refuse de l'avouer. C'est même à ce moment qu'il nationalise les grands réseaux de chemins de fer privés, qui deviennent la SNCF. L'honneur est sauf.

En 1982, toutes choses égales, François Mitterrand se trouve entraîné dans la même bourrasque économique et financière. Chaque indice économique est un signal

1. Le 6 juin 1937, dans un discours à Saint-Gaudens.

d'alarme. Le gouvernement est contraint d'agir, de prendre des mesures drastiques de redressement. Mais pas plus qu'en 1937, il n'est disposé à le reconnaître. Bien au contraire, il faut multiplier les signes de continuité. Rien ne change, on continue.

François Mitterrand garde confiance en son arme secrète : la durée. Ses experts lui laissent espérer une reprise internationale. Si bien qu'il se fait rassurant, dans une interview au *Monde,* le 26 novembre 82 : « Ce serait douter plus que de raison des aptitudes de ces dirigeants (des pays occidentaux) que de ne pas prévoir une reprise dans les années 84-85. » Il est persuadé qu'une conjoncture défavorable lui a joué un mauvais tour, et que le beau temps succédera bientôt à la pluie. Le blocage des prix et des revenus, annoncé par Pierre Mauroy, n'a pas valeur d'engagement à ses yeux. La rigueur, nouveau mot d'ordre de son premier ministre, est une parenthèse, un expédient provisoire. Il n'y croit pas vraiment. D'autant que, dans son entourage, beaucoup lui prédisent qu'à la sortie de la période de blocage des prix, ce sera pire qu'avant.

Recevant Pierre Mauroy à Latché, le 20 août 1982, il lui fait part de son scepticisme lors d'une promenade en tête à tête sous les pins de la forêt landaise. Il explique au premier ministre qu'il a bien voulu lui laisser tenter l'expérience, mais qu'il le jugera aux résultats à la fin de l'année. Pierre Mauroy comprend que ses jours sont comptés. D'autant que quelques jours plus tôt, accueillant des journalistes dans sa bergerie, le président leur a lâché cette aigre confidence : « Mauroy est impopulaire, j'en fais les frais par ricochet. » C'est que leurs cotes respectives sont en chute libre dans tous les sondages. François Mitterrand s'en tient donc fermement à une double attitude : d'un côté, il prend ses distances à l'égard de Pierre Mauroy; de l'autre, il nie, contre toute évidence, que la politique gouvernementale ait été infléchie dans le sens d'un retour à l'orthodoxie.

Pas question d'avouer qu'on a changé le changement et que le socialisme n'a dansé qu'un seul été.

Fidèle et discipliné, Pierre Mauroy s'exécute. Dès qu'il a annoncé le blocage des salaires et des prix, il explique au *Figaro*[1] : « Il n'y a pas de nouvelle politique. Mais il est clair qu'une seconde phase politique commence pour le gouvernement. » Et il avance cette excuse : « La relance des économies occidentales n'était pas au rendez-vous. »

Il persistera jusqu'aux élections municipales de 1983. Il démentira, et ses ministres avec lui, et les dirigeants du PS, tout changement de politique; comme des gamins surpris en train de voler des chocolats dans un placard et qui prétendent obstinément avoir cherché un marteau pour bricoler. Un de ses conseillers explique : « En continuant à parler publiquement le même langage, Pierre Mauroy croyait que c'était là sa seule chance d'arriver à convaincre le président, et le parti, de la nécessité de la rigueur. »

La discipline du premier ministre ne lui vaut pas la confiance présidentielle. A l'Élysée on se méfie, et on décide de l'entourer pour mieux le tenir. Dès l'automne 1982, François Mitterrand réunit un Conseil restreint tous les mardis à 15 h 30 pour parler économie. Y participent, outre Pierre Mauroy, Jacques Delors et Michel Rocard, Gaston Defferre et Michel Jobert, Laurent Fabius, Charles Fiterman, Jean-Pierre Chevènement, ainsi que Jean Peyrelevade, conseiller de Matignon. Les affrontements sont souvent vifs. Par exemple, lorsque Jean-Pierre Chevènement prône la relance des investissements.

– Avec quel argent ? interroge Jacques Delors. (Pour

1. Le 27 mai 1982.

ajouter aussitôt, morose et rageur :) Il n'y a plus d'argent.

– Il n'y a qu'à emprunter, rétorque le ministre de la Recherche et de l'Industrie.

– Emprunter, emprunter, vous n'avez que ce mot à la bouche, mais ensuite il faudra rembourser.

Jacques Delors, cette fois, est rouge de colère.

Un peu plus tard, on évoque le déficit du commerce extérieur et la relance de la consommation populaire qui a surtout multiplié les importations de produits étrangers.

– Il faudra bien arriver à baisser les salaires moyens, plaide Michel Rocard. (Puis, après un temps :) ... Comme me le disait tout à l'heure Jean Peyrelevade.

Ce qui met François Mitterrand en fureur. Il apostrophe Pierre Mauroy : « Monsieur le Premier Ministre, si j'avais voulu faire la politique de Mme Thatcher, j'aurais fait appel à quelqu'un d'autre que vous. »

Il a bonne conscience le président. Aux visiteurs qui s'affolent de l'ampleur du déficit extérieur, et des effets négatifs de la politique de relance pratiquée au début du septennat, il répond, patelin : « J'ai fait la politique pour laquelle les Français m'ont élu en 81. Ils voulaient la relance, ils l'ont eue. On ne force pas les Français, c'est à eux de comprendre [1]. »

Est-ce un jeu? Se compose-t-il une attitude? Qui pourrait le dire? François Mitterrand sait brouiller les cartes et mériterait de partager le surnom donné avant-guerre à Camille Chautemps : « le sublime prince du royal secret ». Ce qui était pour le deuxième président du Conseil du Front populaire allusion à des liens maçonniques conviendrait au premier président socialiste pour illustrer la subtilité de son attitude.

1. Cité par Serge July dans *les Années Mitterrand,* éd. Grasset, 1986.

Essayez donc de comprendre, braves gens. Ce Mitterrand qui impose à son gouvernement de répéter qu'on n'a pas dévié d'un pouce, et qui déclare en septembre 1982 à Figeac, charmante cité du Lot : « Le socialisme, ce n'est pas ma Bible. » Ce président qui voulait rompre avec le capitalisme, s'insurge le même jour contre les charges excessives qui grèvent les entreprises, charges auxquelles sa politique n'a pas peu contribué.

Il propose même un moratoire de leurs dettes. A Matignon, on s'arrache les cheveux – qui a bien pu lui souffler une telle idée ? et avec quel argent va-t-on payer ? – et on le soupçonne d'apostasie. Voilà qu'il se met à parler comme Raymond Barre. Bizarre. N'est-ce pas le même Mitterrand qui avait mis en garde Laurent Fabius contre le déficit budgétaire [1] dès le printemps 82 avant de manifester la plus grande circonspection devant le plan de rigueur, ce qui revenait à inciter à la sagesse tout en refusant les moyens ?

Stupeur des commentateurs et perplexité des Français. En décembre 82, les *Nouvelles littéraires* dirigées par Philippe Tesson lancent un numéro spécial sur le thème : François Mitterrand est-il de gauche ? Au scepticisme généralisé le rocardien Jacques Julliard répond par cette parade : « Mitterrand est de gauche, mais c'est la conjoncture qui ne l'est pas. » Ben voyons !

Le nouveau pouvoir n'est pas avare de contradictions. Quand le 7 octobre 1982, Lionel Jospin, premier secrétaire du PS, prône la réconciliation de la gauche avec l'économie, on suppose qu'il agit en service commandé, sur instructions de l'Élysée. Or, quelques mois plus tard, en janvier, Jacques Delors, qui enregistre les premiers résultats de la lutte contre l'inflation et veut en tirer

1. Lequel s'était empressé d'approuver, et de dire publiquement qu'il fallait mettre le holà, comme si un autre Fabius, un homonyme peut-être, était responsable de ce déficit.

profit, souhaite baisser d'un point les taux d'intérêt des caisses d'épargne (à l'exception du livret rose d'épargne populaire). Compte tenu de la modération de la hausse des prix, les petits épargnants n'auraient en rien été pénalisés par rapport aux années précédentes. Mais François Mitterrand refuse tout net. « J'ai une grande considération pour l'action de Jacques Delors, explique-t-il, mais il faut comprendre que si le gouvernement a un devoir de rigueur, il a un devoir supérieur, c'est celui de la justice sociale. »

A trois mois d'élections municipales qui s'annoncent difficiles, pas question d'assumer une mesure qui risque d'être impopulaire. Or, Jacques Delors, l'imprudent, l'a déjà annoncée. Tant pis pour lui : le président demande à son premier ministre de démentir avec solennité. Delors, vexé – on le serait à moins –, démissionne. Puis retire sa démission.

Démentir encore et démentir toujours : tel sera, jusqu'aux élections municipales, le lot quotidien de Pierre Mauroy. A la fin de 1982, en effet, les mauvais indices s'accumulent. En septembre, le déficit extérieur a atteint 11 milliards, en octobre, 7, encore 7 en novembre, « seulement » 6 en décembre, mais près de 10 en janvier. Une catastrophe. Les attaques contre le franc se multiplient. Et les coffres de la Banque de France prennent des allures de paniers percés. « A partir de septembre, reconnaît un conseiller de Pierre Mauroy, on perdait entre 250 et 450 millions chaque mois. » En septembre, un consortium bancaire international accorde à la France un prêt de 28 milliards de francs à un taux de 14 %. En janvier, Jacques Delors emprunte 2 milliards de dollars à l'Arabie Saoudite. A cette époque, Christopher Hughes, le mystérieux chroniqueur financier du *Monde,* note que la France est devenue le principal emprunteur sur les marchés internationaux. Sa dette à moyen et long terme serait passée, selon les experts, de 120 milliards à la fin de 1980 à près de 345 à la fin de 1982. Presque le triple.

Pierre Mauroy et Jacques Delors sont persuadés qu'un nouveau tour de vis est inévitable. Depuis novembre, leurs services y travaillent. Tous les soirs, Jean Peyrelevade, Henri Guillaume, conseillers de Mauroy, et Philippe Lagayette, directeur du cabinet de Delors, se retrouvent pour concocter le nouveau plan de rigueur. En grand secret. Motus et bouche cousue. Personne ne doit en entendre parler. Surtout pas Fabius qui n'hésiterait pas à allumer un contre-feu préventif.

Car Jacques Delors et Pierre Mauroy le savent, il sera difficile de convaincre le président de l'impérieuse nécessité d'une nouvelle dévaluation.

Comme prévu, celui-ci ne l'entend pas de cette oreille. D'autant que l'autre oreille perçoit des sons autrement aimables. Divers personnages compétents et éminents, conduits par son ami Jean Riboud, capitaliste brillant et patron d'une immense multinationale – Schlumberger –, l'incitent à sortir du SME, et à engager une nouvelle relance intérieure, plutôt que de subir le double joug des lois du marché et des règles européennes. Jean-Pierre Chevènement, Jean-Jacques Servan-Schreiber, Pierre Bérégovoy et Laurent Fabius poussent dans le même sens. Bref, le président est tenté, d'autant qu'il s'est toujours méfié du SME.

Un jour de janvier 1983, Pierre Mauroy rentre fort perplexe d'une visite à l'Élysée. Il montre à ses conseillers une note en trois pages qu'on vient de lui remettre. Elle émane de Jean Riboud et préconise une solution inédite aux difficultés de l'heure : la Banque de France devrait participer à la relance en accordant aux entreprises des crédits sans intérêts. Affolés, les gens de Matignon lèvent les bras au ciel : « Mais c'est bon pour l'Albanie! »

Dès le lendemain, Pierre Mauroy va dire au président

de la République que, sauf à se lancer dans un système économique de type soviétique, les crédits sans intérêts ne peuvent devenir la règle. Le président n'insiste pas. Mais il continue de recevoir avec ostentation les partisans d'une autre politique alternative. Comme par hasard, chaque fois que Pierre Mauroy sort du bureau présidentiel, il croise dans l'antichambre Jean Riboud, Laurent Fabius, Pierre Bérégovoy, tous ceux qu'il appelle les « visiteurs du soir » et qu'on a surnommés à Matignon les « Bonjour la relève ». Un jour Jean-Jacques Servan-Schreiber lui rend visite pour lui recommander, sérieux comme un pape, de quitter Matignon. Il faudrait engager une autre politique. Avec quelqu'un d'autre que lui. Charmant messager!

La tâche du premier ministre n'est décidément pas facile. Pour cause d'élection proche et de dessein présidentiel obscur, le voilà contraint de taire l'évidence. Et cela devient de plus en plus rude. Ainsi, en février 1983, Edmond Maire lance, sur le perron de l'Élysée où il vient d'être reçu longuement par François Mitterrand, que « si un deuxième plan de rigueur est nécessaire, il devra contenir des options fermes en faveur des chômeurs et des bas salaires ».

De tels propos, en un tel lieu, donnent aussitôt l'éveil. La classe politique et les journalistes y voient l'annonce d'un renforcement de l'austérité. Claude Estier adresse au leader de la CFDT dans *l'Unité,* l'hebdomadaire du PS, le reproche « d'avoir laissé croire que le président lui avait annoncé la mise en œuvre d'un deuxième plan de rigueur ». Alors qu'il n'en n'était rien. Au même moment Michel Rocard, autre figure de la deuxième gauche, renchérit aussitôt : « La France dépense trop, il est urgent d'y remédier, il faut faire face à une perspective de baisse des revenus des classes moyennes. » Scandale dans la majorité. Pierre Mauroy juge irresponsables les demi-confidences du secrétaire général de la CFDT. Il est contraint de faire face. C'est-à-dire de nier, une fois encore. Ce qu'il fait, bravement, au cours de l'émission *l'Heure de vérité,* sur Antenne 2, devant plus de sept millions de téléspectateurs : « Il n'y a pas, s'écrie-t-il, de nouveau plan de rigueur dans les tiroirs pour le lendemain des élections municipales. »

A proprement parler Pierre Mauroy ne ment pas : le nouveau plan de rigueur n'est pas dans les tiroirs, mais sur son bureau, depuis le mois de novembre.

Pierre Joxe, lui, s'en prend au ministre du Plan et des Réformes administratives. Avec la gentillesse qu'on lui connaît, il souligne le « manque de clairvoyance qui est la marque habituelle du maire de Conflans-Sainte-Honorine ». Tous les caciques se font rassurants. D'abord, Lionel Jospin : « Le tournevis n'est pas heureusement le seul outil de la politique économique. » Puis Paul Quilès : « Je n'ai pas été élu pour restreindre le pouvoir d'achat des Français [1]. » Mais c'est à Pierre Mauroy que revient l'essentiel de la charge. Donc, il continue à nier l'évidence. Le 16 février, sur Antenne 2, il jure la main sur le cœur : « Les gros problèmes sont derrière nous, tous les indicateurs se remettent tranquillement au vert, il n'y a pas d'autre explication à l'enragement de nos adversaires, c'est le spectacle de la gauche en train de réussir. » En vérité, ce soir-là, Pierre Mauroy n'a réussi à convaincre les Français que d'une chose : leur premier ministre est devenu daltonien.

Un de ses conseillers raconte : « La veille de l'émission, il essayait ses formules devant nous. Nous l'avons mis en garde : “ Pierre, tu ne peux pas dire cela. Tu ne peux pas affirmer que les indicateurs se remettent au vert. ” Il l'avait admis. Seulement, voilà : le lendemain, fidèle au président, son optimisme a repris le dessus. On était, il est

1. Le 6 février, au Club de la Presse d'Europe 1.

vrai, à trois semaines des élections municipales. Et huit jours plus tard, il recommence : interrogé avec insistance par Jean d'Ormesson au Club de la Presse, le premier ministre finit par jurer qu'il écarte " complètement l'éventualité d'une dévaluation du franc [1] ". »

Un chef de gouvernement n'a jamais le droit de tenir des propos susceptibles d'affaiblir la monnaie de son pays et de déclencher la spéculation. Mais toutes ces affirmations solennelles, formellement démenties par les faits quelques semaines plus tard, vont susciter d'amers sarcasmes ! François Mitterrand, pendant ce temps, plane sur des hauteurs d'où il annonce sa mue idéologique. L'homme qui prônait deux ans plus tôt la rupture avec le capitalisme et la direction de l'économie par l'État, le président qui a augmenté les charges fiscales et sociales, et aussi la durée des loisirs, déclare sans faiblir au cours d'une interview télévisée : « L'entreprise est une priorité qui commande toutes les autres. Il faut produire, produire plus, produire mieux, modérer les charges sociales et financières, investir, savoir vendre pour être compétitifs. J'ai toujours été partisan de la liberté d'initiative et de l'esprit d'entreprise. » Quelques jours plus tard, prononçant une allocution au Centre mondial d'informatique il évoque la situation du commerce extérieur et l'endettement de la France. Il s'écrie : « On s'en plaint ! On a raison [2]. »

Et encore plus tard, dans un grand discours sur le renouveau industriel [3], il insiste. Bien sûr, il condamne toujours un libéralisme qui conduit à la faillite le système qu'il entend protéger. Mais il n'a pas de mots assez durs pour dénoncer le dirigisme d'État et la bureaucratie,

1. Le 27 février au Club de la Presse.
2. Le 27 février 1983.
3. Prononcé pour la clôture des rencontres internationales de la Sorbonne.

« systèmes engourdis qui répètent sans fin les notions fanées du siècle dernier ».

Toujours ce dédoublement de la personnalité, à moins qu'il ne s'agisse de ruse et de trompe-l'œil. Moralité et paradoxe de l'affaire, Pierre Mauroy, qui veut accentuer une rigueur dont la cruauté le navre, mais à laquelle il s'est intellectuellement rallié, se sent obligé de feindre la candeur et la naïveté, s'offrant ainsi en victime expiatoire au courroux prévisible des Français pour le jour où il faudra bien mettre en œuvre les mesures qu'il propose, mais qu'il doit faire semblant d'exclure.

En revanche, François Mitterrand qui n'a pas arrêté son choix, qui rêve de relance à coups de crédits sans intérêts, et bride tout ce qui ne va pas dans le sens du retour à l'orthodoxie, tient un discours public de sagesse et de mesure, et presque de courage. Quand plus tard il se sera résolu à opter pour l'effort et la rigueur, il apparaîtra ainsi plus lucide que celui qui plaidait pour ces solutions. Une histoire classique du maître et du valet telle que les narraient jadis Marivaux et Beaumarchais. Le seigneur courtisait la soubrette, mais si l'affaire tournait mal, c'est le valet qui se faisait bastonner.

# Les dix jours
## qui ébranlèrent François Mitterrand

L'échéance survient enfin. On la craignait à gauche, on l'espérait à droite. Chacun savait que ces municipales seraient plus politiques que jamais, que les citoyens saisiraient l'occasion de dire leur sentiment sur les réformes et la gestion du gouvernement, y compris la correction de trajectoire décidée en juin 1982.

Au soir du premier tour, la consternation règne dans le Landerneau socialiste. Le verdict des Français est rude : la gauche perd 16 villes de plus de 30 000 habitants; les principaux ministres socialistes sont en difficulté; Gaston Defferre est tenu pour battu à Marseille; Jean-Pierre Chevènement paraît très menacé à Belfort. Mais c'est de Paris que vient le pire : alors que Gaston Defferre avait fait de son mieux pour démanteler le pouvoir de Jacques Chirac, les listes de celui-ci l'emportent sur-le-champ dans 18 arrondissements sur 20; Lionel Jospin, premier secrétaire du PS, est battu dans son fief du 18ᵉ; et dans le 13ᵉ, Paul Quilès la tendresse, que les socialistes ont placé à leur tête pour prendre d'assaut l'Hôtel de Ville, est mis en ballottage par Jacques Toubon. Sombre dimanche.

Le verdict populaire est-il susceptible d'appel ? Chaque camp mesure l'importance de l'enjeu du second tour. Il s'agit, pour la majorité, de limiter la casse en rameutant le ban et l'arrière-ban de ses électeurs, et pour l'opposition d'amplifier son premier succès.

Mobilisation générale. On s'invective. On utilise les plus grosses ficelles. Et, comme dit le bon peuple, on ne fait pas dans la dentelle.

C'est Louis Mermaz qui met le feu aux poudres. Il accuse Jacques Chirac d'employer « un ton de factieux et de créer un climat de néo-poujadisme ». C'est manquer à la réserve habituellement attendue de l'homme qui occupe le perchoir du Palais-Bourbon. Aussitôt, Philippe Séguin demande la convocation du bureau de l'Assemblée (dont il est vice-président) pour « étudier les suites à réserver à ce nouveau manquement aux règles et traditions ». Robert-André Vivien lance contre le président de l'Assemblée un mot destiné à connaître d'autres fortunes : il l'accuse de « forfaiture ». La riposte vient de Belfort, où Jean-Pierre Chevènement se déclare incommodé par « l'haleine fétide du maire de Paris ».

L'insécurité, le thème principal de la campagne, est le sujet de multiples controverses. Ainsi à Marseille, au cours d'un débat télévisé, Gaston Defferre, évoquant la récente explosion d'une bombe près de la synagogue, croit pouvoir annoncer que « c'était en rapport avec le RPR ». Ce qui amène son adversaire, Jean-Claude Gaudin, président du groupe parlementaire UDF, à demander : « Est-ce que j'ai une tête de poseur de bombes ? » A Paris, Jacques Chirac assure que « la criminalité a augmenté de 30 %, voire de 100 % dans certains secteurs », et n'hésite pas à mettre en cause le président de la République qui, dit-il, « n'a jamais donné de suite pratique aux remarques que je lui faisais à ce propos ». A Lille enfin, Pierre Mauroy s'indigne du succès des propos xénophobes et des accusations lancées contre les immigrés.

La droite et la gauche ne savent pas encore qu'elles

jouent les apprentis sorciers : elles ouvrent les voies à Jean-Marie Le Pen qui, l'année suivante, à l'occasion des élections européennes, fera ses choux gras de ces mêmes thèmes. Pour l'instant, elles n'ont qu'une idée en tête : gagner.

Mauvais présage pour la gauche : en Allemagne, les démocrates chrétiens et leurs alliés libéraux emportent les élections. Le triomphe d'Helmut Kohl, qui a succédé en octobre 1982 au social-démocrate Helmut Schmidt, consacre le succès des idées libérales. La nouvelle orientation de la politique économique allemande se traduit par des victoires sur tous les fronts : renouveau du deutschemark, boom des Bourses de valeurs, santé des entreprises. Résultat : sur le marché monétaire le mark s'apprécie par rapport au franc. Tandis que le ton monte dans la classe politique française, la monnaie nationale descend.

Voici venir enfin le jour tant attendu, celui du second tour. C'est le 13 mars. Un chiffre fatidique. Bonheur ou malheur ? C'est selon.

Malheur pour la gauche : elle est bien minoritaire en voix. Bonheur pour la droite : elle l'emporte dans 24 villes de plus de 100 000 habitants sur 36 et contrôle 440 des 862 villes de plus de 9 000 habitants. Paul Quilès est écrasé dans le 13e arrondissement de Paris par Jacques Toubon, et les listes Chirac triomphent dans toute la capitale.

Le paradoxal, c'est que la gauche paraît presque soulagée. Certes, elle a perdu 15 villes de plus de 100 000 habitants. Mais Pierre Mauroy est réélu à Lille. Mais à Marseille, Gaston Defferre, bien que minoritaire (son concurrent le devance de 2 000 voix) devient majoritaire en sièges, un miracle qui tient plus à ses talents de charcutier électoral qu'à l'intercession de la bonne mère de Notre-Dame-de-la-Garde. Mais à Belfort, Jean-Pierre Chevènement l'emporte à l'arrachée. Mais Jacques

Delors est élu à Clichy où il promet de s' « installer pour longtemps ». Édith Cresson a même gagné de haute lutte à Châtellerault.

Bref, on craignait la débâcle, et ce n'est qu'une défaite. Du coup, c'est tout juste si on ne crie pas victoire. D'autant que les socialistes – ils le montreront avec plus d'éclat encore au lendemain des législatives de 1986 – sont passés maîtres dans l'art de minimiser leurs échecs.

Certes, Lionel Jospin éprouve toujours quelque répugnance à mentir. Il avoue donc : « Nous n'avons pas su conserver ceux qui s'étaient rassemblés autour de nous le 10 mai 1981. » Mais autour de lui, on déploie astuces, sophismes et artifices. Et l'on finit par convaincre les Français que l'opposition a essuyé des échecs multiples puisqu'elle n'a pas conquis toutes les villes, tandis que la majorité a remporté des triomphes, puisqu'elle en a conservé quelques-unes.

Dans cette remarquable opération, les socialistes reçoivent le renfort (involontaire) des communistes. Car le revers subi par le PS n'est rien à côté du coup de torchon essuyé par le PC. Le grand vaincu du 13 mars, c'est lui : Saint-Étienne, Nîmes, Béziers, Sète, Saint-Quentin et plusieurs bastions de la ceinture de Paris que l'on disait jadis « rouge » passent à la « réaction ». La déroute du PC contribue à voiler l'insuccès de son allié.

André Laurens, alors directeur du *Monde,* commente ainsi le scrutin : « Après deux ans d'exercice du pouvoir, la gauche est-elle devenue insupportable ? Non. Les électeurs, qui avaient exprimé au premier tour une réelle insatisfaction, ne renoncent pas au changement politique mais ils en attendent mieux. » Jean-Marie Colombani estime, lui, que : « Le sursaut du deuxième tour permet à M. Mitterrand, s'il le souhaite, d'éviter toute dramatisation. Il n'est pas le dos au mur. »

Jean-Pierre Chevènement fait ce diagnostic : « Nous

avons reçu un message du peuple qui nous dit “ allez la gauche ”, il veut une politique de gauche et pas la rigueur. » Autrement dit, ce n’est pas la gauche qui a perdu mais une politique trop timide, trop droitière.

Admirons la manœuvre : alors que le peuple vient de faire gagner la droite, on démontre qu’il l’a fait pour promouvoir une politique de gauche. L’oracle de l’Élysée partage-t-il ce sentiment ? Tout le monde attend sa sentence. Justement, François Mitterrand réfléchit. Il va parler. On sait même où et quand. Le service de presse de la présidence l’a fait savoir aux rédactions en ébullition : ce sera le mardi 15, à 20 heures. Il lancera un appel à la télévision.

Mais voilà : à l’Élysée commence un psychodrame qui va se prolonger pendant dix longues et étonnantes journées. C’est que François Mitterrand est troublé. Aux certitudes succède le doute. Au soir du premier tour, il se montrait plutôt enclin à écouter ceux qui lui disaient « il faut changer le premier ministre, Mauroy est usé, les résultats en sont la preuve ».

Et puis, au soir du second tour, changement d’atmosphère : un sursaut ne s’est-il pas manifesté ? La gauche n’a-t-elle pas montré qu’elle pouvait mobiliser ?

Les socialistes finissent par se prendre à leur propre jeu et – situation classique – par croire ce qu’ils disent. Conclusion de leurs chefs et de l’entourage présidentiel : le résultat de l’élection est tout juste une semonce, pas un désaveu. Dans ces conditions, pourquoi ne pas garder Mauroy ? Le président l’a toujours dit : il ne faut pas user plus de deux premiers ministres en une législature. Changer de chef de gouvernement en mars 1983 serait aller trop vite. Celui qui mènera la bataille des législatives de 1986 devra être un homme neuf, au crédit non entamé. Il apparaît donc urgent d’attendre.

Dans la nuit du dimanche au lundi, le président tranche. Il confirmera Mauroy, mais le contraindra à changer de politique, lui fera appliquer celle que préconisent les « visiteurs du soir », Jean Riboud, Pierre Bérégovoy, Laurent Fabius et tutti quanti. En sortant du SME, la France tentera de trouver dans l'isolement du protectionnisme la voie d'un développement original. On allégera les charges financières des entreprises, on augmentera la TVA (idée chère à Bérégovoy), on abaissera les taux d'intérêt. Le premier ministre travaillera avec une équipe réduite et plus efficace.

Le lundi à 10 heures, Pierre Mauroy est reçu à l'Élysée. Le président lui fait part de ses réflexions : vous restez, mais on change le cap. Seulement voilà : alors que François Mitterrand s'attendait à trouver un premier ministre prêt à obtempérer, comme d'habitude le petit doigt sur la couture du pantalon, Pierre Mauroy se tord le nez. Il n'est pas convaincu du tout par les propositions présidentielles. Il demande à réfléchir.

De retour à Matignon, il développe devant ses conseillers le contenu de la nouvelle politique que les hommes de l'Élysée entendent voir appliquer désormais. Leur réaction, comme il le prévoyait, est unanime : « Folie que tout cela, la France ne peut se replier dans son recoin planétaire comme si le reste du monde n'existait pas. Et puis, sortir du SME, alors que les réserves de devises sont à nouveau épuisées, c'est prendre le risque d'une baisse indéfinie de la monnaie nationale. » Ils ont d'autant moins de mal à le convaincre qu'il avait déjà perçu le danger. « Et puis, explique un membre de ce cabinet, pour ce Lillois, si proche de la frontière belge, fermer les frontières était une aberration. » Pour plus de sûreté, Pierre Mauroy consulte des experts. A commencer par Jacques Delors qui se montre tout aussi net : pas question de sortir du SME; si ce système présente le grave inconvénient de contraindre à des réajustements périodiques du franc, il permet aussi de reconstituer des réserves de devises.

Le même jour, à 18 heures, la mort dans l'âme, Pierre Mauroy reprend le chemin de l'Élysée. Sa réponse est nette et sans appel : c'est non. « Je ne sais pas conduire sur une route verglacée », explique-t-il au président. Il poursuit : « Je ne veux pas être Harold Wilson qui a mené la Grande-Bretagne à la faillite en tentant ce type d'expérience. En outre, nous, nous n'avons pas de pétrole. Alors, non, c'est non. »

Voilà François Mitterrand perplexe, déconcerté. Les deux hommes se quittent sèchement. Le président rentre chez lui, après avoir décidé d'annuler le rituel petit déjeuner du mardi [1]. Le lendemain mardi, à 10 h 30, le président reçoit Pierre Mauroy pour la troisième fois. Celui-ci n'a pas changé d'avis. L'atmosphère est lourde. Les télévisions qui avaient commencé à installer leur matériel aux abords de l'Élysée sont priées de déguerpir : « Circulez, il n'y a rien à voir, pour l'instant. » Ce que confirme bientôt un communiqué du service de presse de la présidence publié par l'AFP : « A aucun moment n'a été évoquée l'hypothèse d'un changement de gouvernement ni d'une intervention à la télévision. Toutefois, le président est attentif à ce qu'écrivent ou disent les journalistes et retient l'idée de s'adresser aux Français sous une forme qu'il lui appartient de définir. » Le communiqué s'achève sur une date : le 23 mars. François Mitterrand se donne donc huit jours.

A Matignon, Pierre Mauroy consulte ses amis qui, presque tous, lui conseillent de partir. Dans la journée, la rumeur de sa démission gagne les rédactions, les cabinets ministériels, le tout-État. A l'Élysée, le président s'intros-

1. Auquel participent d'ordinaire, autour de François Mitterrand, Lionel Jospin, Pierre Mauroy, Jean-Louis Bianco, le secrétaire général de l'Élysée.

pecte, lui aussi. Et interroge Jean Riboud, Pierre Bérégovoy, Laurent Fabius, les tenants de l'« autre » politique : « Mettez-moi donc au clair, noir sur blanc, les mesures que vous préconisez, j'aviserai [1]. » En attendant la remise des copies, il consulte d'autres experts, l'économiste Serge-Christophe Kolm, Malinvaud, Pierre Uri (bien connu pour ses analyses), bien d'autres encore. Tout ce qui peut se targuer d'avoir un DEUG en économie est convoqué d'urgence au Palais.

Situation rare : entre l'Élysée et Matignon, les ponts sont coupés. Toutes proportions gardées, on retrouve au sommet de l'État un peu le même désarroi qu'en mai 68. Dans le palais de la rive droite, François Mitterrand est bien déterminé à hésiter. Dans l'hôtel de la rive gauche cette nuit-là, Pierre Mauroy ne trouve pas le sommeil. Il tourne et se retourne dans son lit. Malheureux comme jamais : si sa raison le pousse à persévérer dans le refus au président, son cœur l'incline à dire oui à François Mitterrand. Et puis, résister au président, tous ceux qui le côtoient depuis quinze ans en mesurent la difficulté. Un familier décrit ainsi les étranges rapports entre François Mitterrand et ses proches : « Dès qu'ils émettaient un avis contraire au sien, on le devinait soupçonneux, appliqué à jauger si le contradicteur – qu'il connaissait depuis des années – ne remettait pas en cause le lien personnel d'absolue soumission, ne rompait pas le serment d'allégeance, et si l'opposition qu'il lui manifestait sur un point particulier n'était pas chargée d'une contestation plus vaste visant sa personne elle-même. Il soumettait donc son interlocuteur à une pression si forte qu'elle le contraignait à choisir entre ses idées et la fidélité qu'il devait à l'homme avec qui il osait débattre. Ce n'est qu'au moment où il abdiquait et assurait qu'il se soumettrait de toute

1. L'étonnant est qu'il ne le leur ait pas demandé plus tôt.

manière à la décision du président, que celui-ci admettait que l'on pût être en désaccord avec lui. Il acceptait même parfois les idées et les solutions d'autrui [1]. »

Qui ne comprendrait le désarroi du premier ministre ? Si des orientations économiques le séparent aujourd'hui du président, tant de souvenirs les unissent : quinze années d'amitié, de luttes menées ensemble pour faire du PS le premier parti de France. Pierre Mauroy ne s'est trouvé qu'une seule fois rejeté dans la minorité du parti : avec Michel Rocard au congrès de Metz. Il ne s'en est pas encore remis. Les mitterrandistes en avaient profité pour taxer de « traître » ce fidèle entre tous. Il ne l'a pas supporté. Et que diront-ils cette fois ? Que penseront les militants ? Au petit matin, la nuit ayant porté conseil, Pierre Mauroy, la paupière en berne, a fait son choix : quoi qu'il lui en coûte, il va dire oui au président.

Ce mercredi 16 mars, comme il le fait avant chaque Conseil des ministres, Pierre Mauroy rencontre le président à 8 h 45. Et là, il vide son cœur : si le président l'exige, le lui ordonne, il se dit prêt à mettre en œuvre une politique qu'il continue de réprouver. Ce qu'il craint surtout, c'est que François Mitterrand puisse suspecter sa totale loyauté. Parlant ainsi, il frotte vigoureusement ses paumes l'une contre l'autre – le signe, chez lui, d'une grande colère ou d'une grande émotion.

Pierre Mauroy s'attendait peut-être à voir François Mitterrand, touché, reconnaissant, le serrer sur son cœur. Mais non. Tout au long de cet entretien qui se prolonge jusqu'à 11 heures, le président se montre plus sphinx, plus énigmatique que jamais. C'est qu'il ne sait plus très bien quel est le bon chemin. Depuis la veille, il se trouve bombardé de notes alarmistes de Jacques Delors sur les

1. D. Plutarque, *Des principes et des mobiles secrets d'un illustre président*, éd. Albin Michel, 1987.

conséquences d'une sortie du « serpent ». Il le sent bien, ce sont Mauroy et Delors qui lui tiennent les raisonnements les plus charpentés. Et il attend toujours les copies des « visiteurs du soir ». Après le Conseil des ministres, complètement surréaliste, puisqu'on passe le temps à se féliciter des résultats des élections municipales, Pierre Mauroy rentre à Matignon sans être fixé sur son sort.

L'après-midi, l'affaire prend un nouveau cours. Laurent Fabius demande à Michel Camdessus, directeur du Trésor, de chiffrer les conséquences d'une sortie du SME (une fois encore on se demande pourquoi il ne s'en est pas inquiété plus tôt).

« Au 31 mars 1983, répond celui-ci, les réserves en devises – sur la base du dollar à 7,50 – sont de l'ordre de 30 milliards de francs. De quoi tenir quelques jours, mais pas des semaines. La sortie du serpent représenterait un décrochage d'au moins 20 % du franc par rapport aux autres grandes monnaies internationales. Or, dévaluer de 20 % quand on a 330 milliards de dettes, c'est augmenter ipso facto cet endettement dans des proportions considérables : 400 milliards de francs. Un décrochage supérieur à 15 % aurait en outre pour conséquence immédiate l'absence de tout contrôle du taux de change. Et si l'on sort du SME, on perd tout soutien européen en Ecu. Les possibilités d'emprunt seraient dès lors très réduites. Il faudrait se battre à découvert, comme les Anglais l'ont fait quand ils ont " flotté ". Autrement dit, il faudrait augmenter les taux d'intérêt pour défendre le franc. Ces taux atteignant déjà 14 %, ils devraient grimper jusqu'à 20 %, voire plus. Avec les conséquences que l'on imagine. »

Fabius paraît surpris. Il comprend qu'une telle politique accroîtrait le chômage, mettrait en difficulté les entreprises. Sans compter que le Fonds monétaire international ne se priverait pas d'intervenir dans les affaires intérieures [1].

Fabius va rendre compte aussitôt au président, lequel prend ces propos d'autant plus au sérieux qu'il a présente à l'esprit (comme Mauroy) l'image de l'Angleterre travailliste placée sous contrôle du FMI, en dépit de son prestige auprès de la communauté financière internationale. La honte, l'opprobre. De quoi rougir quand on dirige un pays qui se respecte. Pas question. Il en va de l'indépendance nationale.

Exit l'« autre politique ». La ligne Mauroy-Delors triomphe. Et Mauroy va succéder à Pierre Mauroy.

Claude Estier raconte : « Ce mercredi à l'issue d'une cérémonie de remise de Légion d'honneur à trois anciens membres de la Convention des institutions républicaines, le président nous entraîne, Louis Mermaz et moi, dans un coin du salon. Ce qu'il nous dit nous laisse à penser qu'il n'a pas vraiment l'intention de changer de premier ministre (...) Pour lui, le problème qui se pose est d'abord celui du fonctionnement du gouvernement, de son expression, de sa cohésion [2]. »

Le jeudi 17 mars, pourtant, les contacts ne sont pas rétablis entre Matignon et l'Élysée.

Michel Jobert envoie sa lettre de démission du gouvernement au président de la République.

Mais la vedette du jour est, hélas, le franc.

La monnaie française, en sursis depuis plusieurs mois, affaiblie par les déséquilibres financiers, le déficit commercial, la pression du dollar et le manque de crédibilité de la politique économique, est la première victime des incertitudes du moment. Depuis août 1982, le franc avait perdu du terrain sur le mark, et la Banque de France

1. In Philippe Bauchard, *la Guerre des deux roses*, éd. Grasset, 1986.
2. Claude Estier et Véronique Neiertz, *op. cit.*

épuisait ses réserves à le soutenir. Mais le différentiel d'inflation est trop important : 3,70 % en Allemagne, 9,25 % en France, soit à peu près le triple. Il faut donc réajuster, tout le monde s'y attend. Et tout le monde sait que le pouvoir ne le fera pas avant les élections.

Celles-ci passées, le gouvernement français passe à l'attaque : c'est la meilleure défense. Il demande aux Allemands – qui président la communauté à ce moment – de convoquer une réunion des ministres des Finances de la CEE à Bruxelles. Et il s'emploie à les culpabiliser en expliquant que la crise résulte en réalité d'une sous-évaluation du mark et en exigeant d'eux, au nom de la solidarité européenne, une très forte réévaluation de leur monnaie. Bien entendu, les Allemands défendent la thèse contraire : la mauvaise tenue du franc, rétorquent-ils, résulte de la faiblesse de l'économie et des erreurs commises dans sa gestion. Bonn souhaite donc une assez forte dévaluation du franc et une réévaluation modérée du mark. Paris refuse ce qui apparaîtrait comme un nouvel aveu d'échec : que les Allemands réévaluent le mark, dit en substance François Mitterrand, ce sont eux les « coupables ». Et il donne son feu vert pour la négociation à Jacques Delors, qui est d'ailleurs de son avis. « En fonction des résultats de votre négociation, lui dit-il, j'aviserai » (sous-entendu : et sur le choix de la politique à suivre et sur celui de l'homme qui l'appliquera).

Trois jours durant, tandis qu'à Paris l'incertitude politique perdure, Jacques Delors va se battre avec les Allemands, plaider sans trêve pour la réévaluation du mark, et répéter sur tous les tons : « C'est votre monnaie qui est la cause du désordre. »

Vendredi 18 mars : Mauroy part pour Lille. Jean-Claude Colliard, directeur du cabinet de François Mitterrand, téléphone à Thierry Pfister, à l'hôtel Matignon, et lui annonce sans ménagement que Jacques Delors est le nouveau premier ministre. Les conseillers de Pierre Mauroy commencent à faire leurs bagages. Ils se renseignent aussi, et comprennent que le ministre des Finances s'est mis à jouer pour son propre compte avec un objectif : prendre la tête du gouvernement. Et qu'en vérité, il s'y voit déjà.

En attendant, il lui faut subir l'épreuve de Bruxelles. Le samedi 19, au centre de conférence Borschette, il rencontre ses collègues européens. Et il fonce, sans complexes ni nuances. A l'entendre, on croirait qu'il représente la dernière chance de l'Europe : il ne veut pas sortir du SME, leur explique-t-il, ce serait mauvais pour tout le monde, mais il y sera contraint si l'on n'établit pas un écart de 12 % entre le mark et le franc, le premier étant réévalué de 8 points au moins, et le second dévalué de 3 au plus. Au passage, il ne se prive pas de critiquer « l'arrogance et l'incompréhension des milieux financiers allemands ». Ses interlocuteurs, d'abord éberlués, finissent par réagir vigoureusement.

Tandis que Jacques Delors négocie à Bruxelles, François Mitterrand rappelle d'urgence Pierre Mauroy qui se trouve à Lille. A 11 h 30, le maire de Lille est dans le bureau du chef de l'État. « Le premier ministre trouve un François Mitterrand bougon, embarrassé, mécontent de l'évolution de la situation et du climat qui s'est créé, sévère avec tout le monde, aussi bien avec les Allemands, avec les partenaires européens, qu'avec Delors. Il ne veut pas dévaluer le franc. Il a donné pour consigne d'exiger que tout le chemin soit fait par les Allemands avec une réévaluation du mark [1]. »

« Mauroy, ajoute Pfister, comprend surtout que le jeu se déroule sans lui. »

L'amertume du premier ministre est évidente : Fran-

1. In Thierry Pfister, *op. cit.*

çois Mitterrand l'a fait venir pour réfléchir à voix haute devant lui. Mais ne lui a rien précisé sur son propre sort. Et voilà que son ami Jacques Delors se met à marcher sur ses plates-bandes. Pas content, il se hâte de regagner Lille pour attendre la fin des négociations de Bruxelles, puisqu'elles sont directement pilotées par l'Élysée.

Le même jour, François Mitterrand a convié à déjeuner Pierre Joxe, Charles Hernu, Louis Mermaz et Claude Estier. « Le président, raconte celui-ci, évoque longuement pendant plus de trois heures les arguments pour ou contre le maintien de Pierre Mauroy à Matignon. S'il reste, cela ne créera pas le choc psychologique attendu. Mais il est encore trop tôt pour constituer l'équipe qui " fera " les élections législatives de 86. Lorsqu'il nous demande notre avis, nous parlons moins de la personne du premier ministre lui-même, dont nous reconnaissons tous la loyauté et le courage, que de la nécessité d'avoir un gouvernement qui gouverne, qui se fasse mieux obéir de l'administration et qui s'engage sur des objectifs clairs. »

Qu'en termes galants et aimables ces choses-là sont dites. Si Pierre Mauroy a des antennes, il doit comprendre que ses petits camarades sont en train de lui passer une volée de bois vert. Dans le genre « il est très loyal, mais il ne sait vraiment pas gouverner ».

Le lendemain dimanche, les négociations se poursuivent à Bruxelles, François Mitterrand appelle Jacques Delors, dès les premières heures de l'aube. Il lui demande de rentrer à Paris pour venir le rejoindre à l'Élysée dans l'après-midi. Sans plus d'explications.

Or, au même moment, Michel Jobert, furieux que l'Élysée n'ait pas encore annoncé sa démission donnée trois jours plus tôt, décide d'alerter lui-même la presse. L'agence France-Presse l'annonce donc.

Jacques Delors croit-il y voir le signe de l'imminence du remaniement, et conclut-il que son heure va sonner ? Avant de suspendre les travaux de Bruxelles, il déclare aux journalistes que s'il est obligé de partir pour Paris illico presto, c'est qu'il va s'y passer « des choses importantes ».

Une petite phrase qui alimente les rumeurs sur la succession de Pierre Mauroy.

« A quoi pensait Jacques Delors (en prononçant cette phrase), à Matignon ? se demande Claude Estier [1]. Il est vrai qu'il avait à ce moment-là quelques chances de devenir premier ministre. Mais outre Pierre Mauroy, le président songeait aussi à Pierre Bérégovoy, à qui il avait demandé de se réinstaller à l'Élysée pour le temps du week-end [2].

Autrement dit, au moment où l'on croit que le président a tranché en faveur de la politique Mauroy-Delors, il songe aussi à faire entrer à Matignon Pierre Bérégovoy qui préconise l' « autre politique ». Si les fidèles se retrouvent dans le labyrinthe des réflexions présidentielles, ils sont vraiment doués.

En réalité, si François Mitterrand a fait revenir Jacques Delors, c'était pour parler avec lui du réajustement monétaire, ni plus ni moins. Qu'il termine sa négociation, on verra ensuite.

Et voilà le ministre reparti pour Bruxelles, fort déçu. A son arrivée dans la capitale belge, au milieu de l'après-midi, il entend les Allemands lui annoncer qu'ils réévalueront le mark de 5,5 %, pas plus. A condition, bien entendu, que la France annonce de nouvelles mesures d'austérité.

1. Claude Estier et Véronique Neiertz, *op. cit.*
2. Avant de devenir ministre des Affaires sociales, Pierre Bérégovoy avait été secrétaire général de l'Élysée pendant la première année du septennat.

Il s'exécute. « Des mesures économiques et sociales sont en préparation, promet-il, qui permettront d'améliorer les performances françaises et de diminuer de manière très significative le déficit du commerce extérieur. »

Après avoir chanté haut et fort, le coq gaulois doit rabattre son caquet.

Ce même dimanche soir, Pierre Mauroy rentre comme d'habitude à Matignon. Nul coup de fil présidentiel ne vient troubler son dîner. On lui précise que, selon une déclaration de Michel Vauzelle, porte-parole de l'Élysée, le chef de l'État ferait « probablement allusion au remaniement dans sa prochaine allocution ».

Une nouvelle journée d'attente commence. Le gouvernement étant incertain de son sort et donc inoccupé, le premier ministre décide de repartir pour Lille, le lundi matin à 9 h 30. Mais, alors que son avion survole les plaines picardes, un message radio lui parvient : le président l'attend, et il est pressé. Aussitôt, le Mystère 20 fait demi-tour. Direction Villacoublay. Avant midi, Pierre Mauroy se trouve dans le bureau du président. Lequel, devant s'envoler à son tour pour Bruxelles, où il est attendu au sommet européen, a tout juste le temps de lui préciser – mais avec beaucoup de chaleur – qu'il envisage sa relève sans être tout à fait certain de la souhaiter.

Bref, Pierre Mauroy a fait demi-tour pour s'entendre signifier que son avenir n'était pas décidé : peut-être bien que oui, peut-être bien que non. Il commence à s'impatienter. Déjeunant avec ses collaborateurs, il se dit las. Mais, montrant toujours un cœur gros comme ça, il avoue que les brèves confidences et l'affection que lui a manifestée le chef de l'État l'ont ému. C'est un repas plutôt mélancolique. La plupart des participants se voient déjà hors de Matignon. Michel Delebarre, directeur du cabinet, décide de chercher un appartement pour installer des bureaux d'où Pierre Mauroy poursuivra son action politique.

A Bruxelles, en fin de matinée, les nouvelles parités monétaires ont été ratifiées. Le mark est réévalué de 5,5 %, le franc est dévalué de 2,5 %.

François Mitterrand sait désormais que la rigueur est devenue une donne permanente de la politique socialiste. Impossible d'y échapper. La dureté des temps a sonné le glas de la magie distributive. Reste à trouver l'homme qui doit l'incarner.

Revenant de Bruxelles le mardi 22, le président est accueilli à Villacoublay par Pierre Mauroy. Lequel n'apprend rien de ce président obstinément mystérieux, qui se borne à lui fixer un rendez-vous pour le soir. Imaginant que le nouveau premier ministre sera nommé à ce moment-là, Pierre Mauroy commence à rédiger sa lettre de démission.

Pendant ce temps le chef de l'État reçoit à déjeuner Jacques Delors, Pierre Bérégovoy, Laurent Fabius, trois rivaux qui se jaugent, se jugent, et ne s'aiment pas. François Mitterrand observe le spectacle d'un œil gourmand. Veut-il tenter une synthèse entre la rigueur et l'« autre politique » ? Veut-il tester Jacques Delors devant les deux autres ? Au cours du repas, le ministre des Finances pose ses conditions. S'il allait à Matignon, il voudrait coiffer l'Économie et les Finances comme Raymond Barre en 1976. Mais le président n'est pas homme à se laisser forcer la main ou dicter des conditions. Il a aussi le sentiment que Jacques Delors ne parvient pas à s'imposer face à Pierre Bérégovoy et Laurent Fabius. Deux durs à cuire !

Au café, Jacques Delors comprend que ses chances sont passées. A-t-il mal manœuvré ? Ou bien le choix du président était-il déjà fait avant le repas ? Toujours est-il que le ministre, rentrant rue de Rivoli, lâche à ses proches : « C'est fichu. »

Mais si ce n'est pas Delors, qui ?

Bérégovoy ? Impossible, il voulait mener l'autre politique, or, elle a sombré avant d'avoir existé.

Fabius ? Trop jeune. Trop tôt.

Quand François Mitterrand regagne son cabinet, il est revenu à la case départ du lundi 14 mars. Il a tranché en faveur de Pierre Mauroy, demeuré loyal et fidèle, et tellement silencieux, pendant cette folle semaine.

A 18 h 30, celui-ci quitte Matignon pour l'Élysée. Avec sa lettre de démission dans son porte-documents. Une heure plus tard, coucou le revoilà ! Battant le rappel de ses conseillers ébahis : François Mitterrand vient de le charger de former son troisième gouvernement ! Il offre à l'un d'eux sa lettre de démission, désormais inutile. Et il n'est pas peu fier.

La suite est rapide.

A 23 h 45, Jean-Louis Bianco, le secrétaire général de l'Élysée, annonce la composition du nouveau ministère. Premier ministre Pierre Mauroy.

Numéro deux dans l'ordre protocolaire, Jacques Delors – signe entre les signes que, désormais, pour François Mitterrand, l'économie sort du purgatoire – garde les Finances avec des attributions étendues au Budget. Le voilà enfin débarrassé de Laurent Fabius. Ouf !

Numéro trois : Pierre Bérégovoy, aux Affaires sociales.

L'équipe est réduite. De 34 ministres « pleins », elle passe à 15 seulement. Les 8 ministres délégués et les 19 secrétaires d'État ne participeront aux Conseils des ministres que lorsqu'un sujet de leur compétence sera débattu. Ainsi Jack Lang se retrouve-t-il exclu de la grand-messe du mercredi. Il s'en trouve tout défrisé. Mais ne perd pas, le ciel soit loué, sa foi mitterrandienne. Un départ notoire, celui de Jean-Pierre Chevènement, Laurent Fabius le remplace à l'Industrie. Et Michel Rocard quitte le placard du Plan pour l'Agriculture.

Le terrain est ainsi prêt pour l'intervention télévisée du président de la République.

Mercredi 23 mars, à 20 heures, sur les petits écrans, il apparaît enfin, tout de sombre vêtu. Pour la première fois, il utilise un prompteur (cet appareil qui permet de lire un texte alors que les téléspectateurs ont l'impression qu'on les regarde au fond des yeux).

L'intervention dure quatorze minutes.

En préambule, le chef de l'État affirme : « La politique est bonne parce qu'elle est nécessaire pour qui veut changer la société française pour ce qu'elle a d'injuste pour le plus grand nombre. »

Plus loin il précise : « Nous n'avons pas voulu et nous ne voulons pas isoler la France de la Communauté européenne dont nous sommes partie prenante, la séparer du mouvement qui porte cette Europe à devenir l'un des grands partenaires du monde. » Une affirmation qui fait sursauter tous ceux qui connaissaient le projet de sortie éventuelle du SME, à commencer par nos partenaires européens.

Le franc ayant été dévalué, chacun s'attend à ce que le président annonce les indispensables et habituelles mesures d'accompagnement. Mais comme à la veille du premier plan de rigueur, en juin 1982, il y a décalage entre la réalité et le discours présidentiel. « Ce que j'attends de Pierre Mauroy, dit François Mitterrand, n'est pas de mettre en œuvre je ne sais quelle mesure d'austérité nouvelle, mais de continuer l'œuvre entreprise adaptée à la rigueur du temps. » Une phrase ambiguë dont les derniers mots contredisent les précédents.

Mais l'ambiguïté sera vite dissipée : deux jours plus tard, Jacques Delors annonce au Conseil, puis au cours d'une conférence de presse, le nouveau plan de rigueur. Il est rude : 20 milliards de réduction du déficit budgétaire, diminution de l'aide au financement des entreprises publiques, relèvement des tarifs publics du gaz et de l'électricité, de la SNCF, des carburants, emprunt forcé pour tous les contribuables payant plus de 5 000 francs d'impôts (son montant représente 10 % sur l'impôt sur les revenus et de l'impôt sur les grandes fortunes), prélèvement supplémentaire de 1 % sur tous les revenus imposables pour alimenter la Sécurité sociale, forfait hospitalier de 20 francs par jour, limitation à 2 000 francs par personne et par an des attributions de devises pour les voyages à l'étranger. Autant fermer les frontières. Certains journaux vont jusqu'à y voir une volonté d'enfermer les Français dans un « goulag »! Rarement gouvernement aura frappé aussi durement la consommation des ménages.

Pour la première fois, les entreprises ne sont pas pénalisées. Ce sont les consommateurs qui font les frais de l'opération.

Comment s'étonner que le 26 mars, lors de la réunion du comité directeur du PS, Lionel Jospin ait le cœur lourd : « Cela ne correspond pas, lâche-t-il, à ce que nous voulions faire. » Et que Paul Quilès s'écrie dans un sursaut : « Arrêtons de dire que nous faisons la même politique depuis le 10 mai, même si nous employons les mêmes adjectifs. » « La conception sur laquelle est assise la politique économique actuelle n'est pas socialiste », déplore Jean-Pierre Chevènement qui entre de ce jour en semi-opposition au gouvernement.

A l'extérieur du PS et du pouvoir, c'est un journal américain, le *Wall Street Journal,* qui publie le commentaire le plus significatif : « L'idée appelée socialisme est morte et les intellectuels qui ont essayé de rendre le collectivisme respectable se cachent. C'est un très grand événement pour la civilisation occidentale. La part de la culture française qui est inspirée par le socialisme est et restera une nullité mondiale... La France s'éloigne de ce tas d'ordures pour prendre la place qui est la sienne, celle d'une société fière et accomplie. »

On ne saurait être plus aimable.

# Chapitre 3

# FRANÇOIS-RONALD REAGAN

(mars 83 – mars 86)

Le grand tournant du quinquennat, le virage symbolique de François Mitterrand, a été pris le 4 avril 1984.

Ce jour-là, le président de la République tient une conférence de presse au pavillon Gabriel, dans les jardins des Champs-Élysées, à deux pas du palais présidentiel qui est en travaux. Il inaugure un nouveau « look », dans un nouveau décor. Une nouvelle allure aussi, il arrive sur la scène d'un pas jeune et décidé, pour un peu on le croirait chaussé de santiags. Abandonné le bureau Louis XV à peine égayé d'un bouquet bleu-blanc-rouge, qui était l'illustration ordinaire de la pompe officielle. En lieu et place un pupitre a été dressé, le président parle debout. Derrière lui, le drapeau français se dresse comme un arbre de Noël. A l'américaine.

Justement, « *Mister President is back from the States* ». François Mitterrand revient des États-Unis, un voyage de six jours durant lequel il a visité la Silicon Valley, cette concentration unique de centres de recherches [1] ultramodernes et d'entreprises futuristes et performantes qui

1. Il a aussi fait une escale à Pittsburg, invité par Jean-Jacques Servan-Schreiber à visiter l'institut de haute technologie Carnegie Mellon installé au cœur des ruines de la vieille sidérurgie américaine.

annoncent le XXI^e siècle. Il a rencontré de jeunes chefs d'entreprise, parmi lesquels quelques Français établis là-bas. Émerveillé, il est désormais persuadé que l'avenir doit se construire sur ce modèle. Et tout se passe comme si ses yeux s'étaient soudain ouverts sur une réalité lumineuse.

Il est vrai que l'Amérique se porte bien. Elle n'a pas raté le rendez-vous de la reprise. Le taux de chômage a baissé de plus de 2 points entre la fin 1982 et la fin 1983. L'effet d'entraînement a été ressenti en Allemagne, en Grande-Bretagne aussi. Mais en France, non.

Ronald Reagan, au meilleur de sa popularité, a annoncé qu'il briguerait un second mandat. Chacun sait, all around the world, qu'il sera triomphalement réélu en novembre prochain. Pour la droite française, il est devenu l'exemple à suivre. Dans toute l'opposition, c'est à qui s'affirmera le plus reaganien.

Mais ce 4 avril, François Mitterrand prend tout le monde de vitesse. Ronnie c'est lui. A l'observer, reproduisant à l'identique le décorum de la Maison-Blanche, plus d'un journaliste sourit discrètement. Léon Blum vient de mourir pour la deuxième fois.

D'autant que le ramage confirme ce qu'annonçait le plumage. Sous le feu des projecteurs, le président socialiste réinvente le libéralisme. « Le gouvernement a été courageux lorsqu'il a décidé le blocage des prix et des revenus, explique-t-il, mais la croissance reste une nécessité... » Simplement, on marchera désormais vers la croissance en relançant l'investissement et non la consommation. « Seuls ceux qui peuvent dégager des profits sont en mesure d'investir. Il faut d'abord gagner de l'argent pour le placer sur l'investissement, c'est pourquoi il faut choisir les technologies qui rapportent; aider les entreprises qui prennent des risques. »

Dans la Silicon Valley, François Mitterrand a rencontré un jeune homme épatant, Steve Jobs, vingt-neuf ans, et il s'attarde à évoquer ce personnage : « Il est le fondateur d'Apple qui représente, disons, des centaines de millions de dollars, ce qui est le témoignage de sa réussite, parce qu'il a eu du génie dans l'utilisation de l'électronique et, particulièrement, du micro-ordinateur. » Une phrase qui en dit long, mine de rien, sur la nouvelle métamorphose du président : pour la première fois dans son discours, réussite et profit, deux notions naguère antagonistes, sont liées. Dans son Panthéon intime, Lamartine et Jaurès sont contraints de se faire plus petits pour laisser de la place aux ordinateurs et au roi vert.

Dans la foulée, il annonce une volte-face industrielle. C'est 1981 à l'envers. Plus question d'aider et de soutenir artificiellement les « canards boiteux ». L'époque du charbon et de l'acier est officiellement condamnée. S'ouvre l'ère de la reconversion, de la restructuration, des mutations nécessaires : « Ou bien la France sera capable d'affronter la concurrence internationale, ou bien elle sera tirée vers le bas et elle ira vers son déclin. »

L'État, c'est-à-dire le contribuable, ne doit plus continuer à financer éternellement des entreprises déficitaires. D'autant que, dans la sidérurgie par exemple, la Communauté européenne le lui interdira à partir de 1987. On va donc procéder à des coupes sombres dans ce secteur. Mais « s'il y a 21 000, 25 000, 27 000, je ne sais, suppressions d'emplois, il n'y aura pas de licenciements ». Les travailleurs se verront proposer deux issues : soit des préretraites, soit des congés-conversions de deux ans qui leur permettront de se former aux technologies nouvelles. « Ce qui veut dire, explique sans crainte le président, que l'on s'engage dans les deux ans qui viennent à transférer ou à créer dans les régions sinistrées – je pense d'abord à la Lorraine – assez d'entreprises nouvelles pour que les créations d'emplois se multiplient enfin. » Comment? C'est à Laurent Fabius de trouver la solution. Il est sacré, sur-le-champ, « Monsieur redéploiement industriel » et doit s'atteler à la tâche sans retard, « sans perdre quarante-huit heures »[1].

Pour juste qu'il soit, le constat de la crise sidérurgique a peu de chances d'être compris par ceux qui en font les frais, « par cette classe ouvrière meurtrie, à chaque tournant de cette triste histoire ». François Mitterrand le sait bien. Il en appelle donc à la raison de ces hommes à qui ses compagnons et lui-même expliquaient jusque-là qu'une telle politique était la déraison. Et bien entendu, il plaide non coupable : « S'il y a eu erreur, c'est celle du 7e Plan et donc du gouvernement de l'époque, en 1975. »

Il veut bien reconnaître à Raymond Barre et à son ministre, André Giraud, le mérite d'avoir enclenché dès 1978 la décélération de la production d'acier[2]. Mais qu'on ne vienne pas lui reprocher d'avoir pris en 1981 le chemin inverse : « Qui placera-t-on le plus haut dans l'estime, interroge-t-il, ceux qui s'étant trompés ont camouflé leurs responsabilités, ou celui qui s'est trompé et qui entend bien ne pas faire payer au pays le prix de cette erreur ? Bref, celui qui prend la responsabilité de corriger de telle sorte que la France n'en souffre pas ? »

De la sueur et des larmes, voilà donc ce qu'il promet. Sueur parce qu'il faudra travailler beaucoup pour mettre en place l'industrie compétitive et moderne qu'il appelle

1. Lors du renouvellement des PDG des entreprises nationalisées Fabius pèsera sur eux pour obtenir des constructions d'usines en Lorraine. Si Thomson tient ses promesses, la CGE qui s'était engagée à construire une usine de robotique ne donnera pas de suite à l'affaire.

2. En octobre 1978, André Giraud avait décidé une réduction d'effectifs de 50 000 personnes (en trois ans) dans la sidérurgie et engagé un plan – le fonds spécial d'adaptation industrielle – de 3 milliards de francs pour créer des emplois de substitution.

de ses vœux. Larmes parce qu'il faudra bien accepter des milliers de suppressions d'emplois, des fermetures d'usines et leurs cortèges de drames humains.

Le jour où le président parle ainsi, toute la Lorraine est en grève et en deuil. Et les communistes tentent d'exploiter le mouvement. Mais à Georges Marchais qui qualifie ce plan d'« erreur tragique », le président rétorque que pour la bonne marche de la majorité il serait temps « de mettre les choses au net ». Deux semaines plus tard, les communistes voteront la confiance, mais le cœur y est moins que jamais. Leurs quatre ministres font figure de vice-consuls en sursis. Cette conférence de presse montre assez que le programme de la gauche n'a plus « rien de commun » et qu'une autre histoire va commencer. Que les communistes restent au gouvernement ou s'en aillent, le jour qu'ils choisiront et la raison qu'ils invoqueront ne relèvent plus que de la tactique électorale.

Signe des signes de la métamorphose idéologique, le baromètre Lang indique soudain une nouvelle pression. Qu'il est loin le temps où le ministre de la Culture s'écriait, à Mexico, « que le véritable danger pour le monde de l'esprit occidental était l'impérialisme financier et culturel américain » [1]. La Silicon Valley ayant séduit le président de la République, elle obsède désormais le ministre de la Culture. Et il s'écrie, lyrique, à la télévision : « On parle volontiers de la Silicon Valley des États-Unis. Mais des Silicon Valley, on en trouve partout chez nous. En Aquitaine, en Rhône-Alpes, en Bretagne, en Alsace, partout le pays se transforme [2]. »

Autre changement symbolique : les radios libres sont

1. Époque où, après avoir été reçu en grande pompe par le Lider Massimo, il vantait le régime de Fidel Castro : « Les Cubains ont bien le droit de choisir le régime qu'ils veulent. »

2. Lors de l'émission *l'Heure de vérité* sur Antenne 2, le 24 juin 1984.

autorisées le même jour à diffuser de la publicité. Interrogé sur ce point le 8 octobre 81, le président avait pourtant tranché tout net : « Pas question de faire des cadeaux aux puissances de l'argent. »

Ce 4 avril 1984, la gauche socialiste a bel et bien changé de siècle avec seize ans d'avance ou quatre-vingt-quatre de retard. A la veille de son élection, François Mitterrand interrogé sur la signification de la célèbre affiche qui le montrait posant devant le petit village de Sermages, serré autour de son église, expliquait – et l'on eût dit que des coquelicots s'échappaient de sa bouche : « Je n'ai vu aucun inconvénient, j'ai même vu beaucoup d'avantages à symboliser une certaine France dont on pouvait penser qu'elle cède du terrain : la France rurale. Il y a beaucoup de citadins qui y pensent encore et qui aimeraient bien la retrouver et retrouver surtout ce type de civilisation de la réflexion, de la méditation, du silence, une certaine lenteur qui se trouve aujourd'hui terriblement bousculée par une société qui n'a pas trouvé les normes de sa civilisation. »

A Jean Boissonnat qui s'étonne [1] de la distorsion qu'il y a entre le discours du 4 avril 1984 prônant « une modernisation presque à marche forcée » et « l'atmosphère rurale et paisible des affiches », le président répond : « Je devais alors tenir compte d'une opinion chauffée à blanc par nos adversaires qui annonçaient les chars soviétiques place de la Concorde, au lendemain d'une victoire de la gauche... Cela ne m'empêchait pas d'évoquer constamment la modernisation industrielle dans mes discours d'avant 1981. Relisez le texte que j'ai fait adopter par le congrès de Metz du parti socialiste en 1977 [2]... Évidemment, mon affiche principale de 1965 qui se situait sur fond d'usines et de fils électriques eût été plus adaptée. Mais n'oublions pas que le

1. *L'Expansion*, novembre 1984.
2. Lequel niait tout bonnement les lois du marché.

développement rural va de pair avec toute modernisation industrielle réussie [1]. »

Depuis des années, des intellectuels et une poignée de socialistes de la « deuxième gauche », Michel Rocard en tête, exhortaient le PS à procéder à une toilette idéologique, de réaliser enfin son Bad Godesberg [2], d'abjurer le marxisme pour se convertir à l'économie de marché corrigée par la solidarité. Mais les socialistes avaient toujours refusé. Or, ce jour-là, sans qu'aucun congrès ait été réuni, sans qu'aucune motion ait été fiévreusement discutée dans les sections, voilà le parti du président obligé d'opérer sa mue. François Mitterrand, qui devait rompre avec le capitalisme, rompt avec le socialisme.

Son chemin de Damas passait par l'Amérique : quelques jours plus tôt, il a confié aux sénateurs américains que « la politique socialiste se fait à mesure qu'on avance et rejette la théologie du miracle ». Mais ceux qui le connaissent bien, ceux qui suivent de près sa politique avaient repéré depuis quelque temps les signes avant-coureurs de sa conversion.

Les premiers datent des 25 et 26 avril 1983. Un mois après l'échec aux municipales, François Mitterrand entreprend un voyage officiel dans la région du Nord-Pas-de-Calais. Or, à Lens, il évoque l'avenir en ces termes : « L'État ne pourra pas à la fois couvrir l'énorme déficit de l'extraction charbonnière et participer à la renaissance industrielle du bassin houiller. » Voilà qui est à l'extrême opposé des thèses défendues lors de son premier voyage en Lorraine [3]. Les mineurs comprennent

1. *L'Expansion*, novembre 1984.
2. Le congrès du parti socialiste allemand, qui se tenait dans la ville de Bad Godesberg, en 1959, adopta un programme déclarant que « la libre concurrence et la libre initiative de l'entrepreneur sont des éléments importants de la politique économique sociale-démocrate ».
3. Voir ci-dessus page 38.

aussitôt que les espoirs dont le président les avait alors bercés en arrivant au pouvoir n'ont pas résisté aux chiffres.

Ceux-ci sont cruels. Le 18 juillet 1983, les comptes définitifs des Charbonnages de France font apparaître une perte de 985 millions de francs, soit quatre fois plus qu'en 1981 en dépit d'une aide de l'État de 5,9 milliards [1]. L'aide apportée est plus importante que ce que rapporte l'impôt sur les grandes fortunes, commentera alors André Giraud. C'est que le rendement a baissé de 6,7 % et la production de 8,9 %, en raison de la réduction du temps de travail. Et pourtant, on a renforcé les effectifs, on a embauché et créé de nouveaux emplois, en tout 8 000. Résultat de cet ensemble de mesures : le prix de revient à la tonne a augmenté de 27 %, les Charbonnages sont au bord de la faillite, et les prévisions pour 1984 annoncent le pire.

A la suite du voyage présidentiel, un plan d'assainissement est lancé. Conséquence logique de la rigueur. Il a fallu revoir les subventions aux entreprises publiques.

Première victime : le charbon. Pour 1990 la production est fixée à 15 millions de tonnes, soit la moitié de l'objectif défini en 1981. 8 000 emplois devront être supprimés dès 1984 [2], alors qu'on embauchait encore aux Houillères de Carmaux quelques mois plus tôt, à la veille des élections municipales. Et l'on rétablit l'aide au retour que l'on avait supprimée en 1981 pour les travailleurs immigrés. Trois mille Marocains sont employés aux Charbonnages.

Le communiste Georges Valbon, président du conseil d'administration des Charbonnages, refuse d'entériner une telle volte-face. Il préfère démissionner. Il ne se

1. L'aide est passée de 4 milliards en 1981 à 6,5 milliards en 1983, et l'endettement de 9 milliards fin 1980 à 17 milliards fin 1983.

2. Et sur cinq ans, il faudra réduire les effectifs de 57 000 à 28 000.

laisse pas berner, les mineurs non plus, par les propos lénifiants de Laurent Fabius, ministre de l'Industrie, expliquant à Antenne 2 : « Dans le régime des charbons, il n'y a pas de licenciements, il y a des suppressions d'emplois, ce n'est pas du tout pareil [1]. »

Même s'ils ne l'avouent pas encore, les socialistes le savent : le juste et le bien définis en arrivant au pouvoir ne correspondent plus au possible et au nécessaire. Trois années passées aux commandes les ont fait passer d'une culture d'opposition à une culture de gouvernement. Et si la première exclut l'augmentation du chômage, la seconde admet la nécessité des suppressions d'emplois.

François Mitterrand l'expliquera dans une interview à *Libération :* « Si vous considérez qu'être de gauche interdit de moderniser le pays à cause des souffrances qu'entraîne tout changement, je ne puis vous suivre », dit-il à Serge July [2].

Déjà, deux mois plus tôt, participant à une émission de télévision, *le Grand Témoin,* le président avait montré beaucoup de compréhension envers un patron qui se plaignait de ne pouvoir licencier : « Pour les licenciements, à ma connaissance, 90 % des licenciements demandés sont obtenus après négociation avec l'inspection du Travail, ce qui est normal. Ce qui est vrai, dans l'observation de M. Joly (le patron qui était intervenu), c'est que c'est un peu trop lent. Il veut licencier. Il obtient une réponse tardive et la lenteur des réponses apportées aux demandes justifiées de licenciement est souvent une cause de difficultés. Il faut corriger cela. » A ce même patron qui s'étonnait de ne pouvoir obtenir plus facilement de l'argent des banques nationalisées que des banques privées, là aussi la nouvelle logique libérale

1. Le 7 janvier 1984.
2. En mai 1984.

prévaut dans la réponse du président : « On pouvait en attendre plus de compréhension dites-vous ? Moi aussi je suis quelquefois obligé de me fâcher. Mais aussi il faut comprendre les banques nationalisées. Elles ne peuvent pas faire tout et n'importe quoi et tout le monde leur demande leur crédit. »

La mue s'est ainsi poursuivie de discours en discours et de mois en mois durant toute l'année 1983. En mai, le président reçoit à l'Élysée une cinquantaine de ministres venus participer à Paris à la conférence annuelle de l'OCDE. Ceux-ci, un peu pantois, entendent un développement de plus de trois quarts d'heure d'une ambition universelle.

Le président, ce jour-là, martèle avec insistance ce qui est le message de la France depuis des années : il faut revenir à un système stable des monnaies, et refaire une Bretton Woods [1]. Il dénonce à mots couverts le niveau déraisonnable du dollar, le gigantesque déficit budgétaire des États-Unis, les taux d'intérêt trop élevés qui sont pratiqués sur le marché américain pour faire face à cette situation, et l'impossibilité où se trouvent dès lors les pays du tiers monde de desserrer l'étouffant carcan de leurs dettes en dollars. Un raisonnement qu'il tenait déjà lors du sommet de Versailles en juin 82.

Le président n'a pas tort, la suite le montrera assez. Seulement, si ce discours reçoit un accueil à la fois poli et très ironique, c'est que ses auditeurs voudraient bien voir le donneur de leçon commencer par balayer devant sa porte [2]. En raison de ses propres déficits, la France est alourdie par une dette extérieure estimée à 345 milliards de francs (trois fois plus qu'en 1981). Elle est obligée

1. Conférence internationale qui, en 1944, avait établi entre les monnaies un système de parité fixe.

2. De tous les pays de l'OCDE, c'est la France dont le taux de progression de la dette externe a été le plus élevé depuis 1981.

d'emprunter pour payer les intérêts de sa dette. Or justement, au moment où le président parle le gouvernement s'apprête à lancer un nouvel emprunt de 4 milliards d'Écu (soit 27 milliards de francs) par l'intermédiaire de la Communauté européenne, qui sera assorti d'une surveillance de Bruxelles. En cas, quand même improbable, de défaillance française, les partenaires devraient prendre le relais. Il n'y a pas de quoi se glorifier dans ces conditions. François Mitterrand, pourtant, n'hésitera pas à le faire, dix-huit mois plus tard [1] : « Savez-vous dans quelle situation se trouve la France par rapport aux autres pays ? (...) Savez-vous que la signature de la France est l'une des trois meilleures signatures du monde ? Savez-vous que les gens se bousculent pour nous prêter de l'argent ? (...) Nous avons 470 milliards de francs de dettes, et des réserves qui représentent des sommes égales. Nous avons une réserve d'or – il ne s'agit pas d'en user, mais pour quelqu'un qui prête c'est agréable de savoir cela. Et surtout, nous avons nos devises qui sont considérables. »

Revenons en mai 1983 et au discours que le président français prononce devant les ministres de l'OCDE. Si François Mitterrand croit bon de lancer cet appel à l'orthodoxie et à la discipline, n'est-ce pas aussi pour des raisons de politique intérieure ? S'il entend apparaître comme le chef de l'État qui promeut les nouvelles valeurs de la modernité indispensables au déblocage de la société française. S'il veut être le chantre des entrepreneurs entreprenants et créatifs, il doit prouver de manière emblématique qu'il partage leurs soucis et suit les règles de l'orthodoxie financière. Après avoir accordé la cinquième semaine de congés payés il est celui qui va aller répétant dans tous ses voyages en province : « On ne peut

1. Le 11 janvier 1985 à la télévision.

réussir sans effort. Ceux qui le disent trahissent le peuple. »

Il doit aussi montrer qu'il a abandonné l'idéologie socialiste : « Je suis aujourd'hui le président de tous les Français, assure-t-il [1]. Je ne me mêle pas des problèmes internes aux partis politiques, y compris du parti dont j'ai été le responsable. » (Cela ne l'empêche pas de maintenir les petits déjeuners et déjeuners hebdomadaires avec les dirigeants du PS.)

« Le discours mitterrandiste version second semestre 83, c'est la modernité. C'est l'épice qui assaisonne le credo de la reconquête présidentielle. On frise carrément le contresens à moins qu'on ne soit tout bonnement au cœur du labyrinthe culturel mitterrandiste », écrit alors Serge July dans *Libération*.

Le labyrinthe n'est pas seulement culturel. Le 26 juin 1983, après avoir affirmé aux journalistes d'Europe 1 qui l'interrogent qu'il a lui-même imposé la rigueur à son gouvernement, le président annonce qu'il va mettre un terme à la progression des prélèvements obligatoires (impôts et cotisations sociales). Or, au moment même où il tient ce discours, les préparatifs du budget font apparaître que les impôts seront en hausse de 5 % pour tous ceux qui paient plus de 20 000 francs par an, que la TVA sera majorée sur certains produits, bref, que la barre symbolique des 45 % de prélèvements obligatoires sera dépassée en 1984.

Il est vrai que disant « je veux l'arrêter », le président ne fixait pas de date. Ce qui autorise Pierre Mauroy à lancer : « Il faudra certainement faire un effort supplémentaire sur le plan fiscal d'une manière ou d'une autre, un effort raisonnable en 1984 [2]. »

1. Le 8 juin 1983 à la télévision.
2. Sur RTL, en juillet 1983.

Un nouveau tour de vis ? Non, tout le contraire ; deux mois plus tard, en septembre, la volonté présidentielle prend valeur d'engagement. « Il faut réduire d'un point le taux de prélèvements obligatoires pour 1985 », assure François Mitterrand [1]. Et prenant son gouvernement à contre-pied, il lui enjoint de réformer au plus vite la taxe professionnelle, qualifiée par lui d'« impôt imbécile ».

« Trop d'impôts, pas d'impôts », ajoute ce jour-là François Mitterrand plagiant Arthur Laffer, le conseiller de Ronald Reagan dont la célèbre courbe démontre que les prélèvements fiscaux trop élevés, bien loin d'accroître les recettes, les réduisent. Pendant tout l'hiver, Pierre Mauroy essaiera de plaider pour limiter la réduction à 0,5 % en 85 et 0,5 % en 86. En vain le président se sent lié par ses propos publics. Il n'en démord pas : il faut diminuer d'un point les prélèvements obligatoires [2].

A l'inverse, dans une autre affaire, le président revient à la logique de 1981 tandis qu'un de ses ministres a enfourché le dada de la modernité. Pour combler le déficit de la Sécurité sociale, Pierre Bérégovoy a en effet imaginé de faire supporter aux patients 20 % des dépenses pour les actes de petite et moyenne chirurgie. Mais, s'adressant aux journalistes le 23 mai à la fin de son pèlerinage annuel à la roche de Solutré, François Mitterrand tranche : « Ce texte n'est pas près de sortir. » Voilà Bérégovoy obligé de le mettre au placard, tout comme Jacques Delors avait dû renoncer à la baisse du taux d'intérêt des livrets d'épargne.

Tel est le « labyrinthe culturel mitterrandiste », telle est sa démarche. Heurtée. Contradictoire.

A cette époque, le rêve mitterrandien commence à s'organiser autour de la vision prospective d'un monde

1. Lors de l'émission télévisée *l'Enjeu*.

2. Il n'y parviendra pas. La majorité de 1986 non plus, en raison de l'accroissement des cotisations sociales.

d'ordinateurs, de calculettes, de laboratoires de biotechnologie et de matériel de bureautique. Aux yeux du président, si la France ne se dirige pas vers ce nouvel univers, « elle coulera à pic ». Il se fait l'apôtre d'un nouveau changement – vers la modernité – qu'il confond sans vergogne avec le changement prêché en 1981. « Je vous demande, dit-il, de réfléchir avec moi raisonnablement sur les chances de la France. Le changement, le gouvernement l'a entrepris en 1981, au moment même où il devenait indispensable de l'organiser, sans quoi la France allait vers le déclin [1]. » Il a dit « déclin ». Mais il s'agissait de stigmatiser l'incurie de ses prédécesseurs. Quand plus tard, en 1987, la majorité de droite agitera le spectre du déclin, pour fustiger le bilan de la gauche, le président en contestera violemment la réalité.

François Mitterrand bouge plus vite que ses ministres, et ses militants. Mais on comprend que ceux-ci aient du mal à suivre. « Moderne », au temps de l'affrontement avec Michel Rocard lors du congrès de Metz, était un mot tabou. Il était de bon ton, dans l'entourage du premier secrétaire, de se déclarer satisfait d'être au contraire « archaïque ». Or, la brusque évolution du discours présidentiel n'empêche pas la dégringolade du pouvoir dans les sondages. En septembre 1983, François Mitterrand a perdu 12 points par rapport à l'année précédente. 57 % des personnes interrogées jugent « plutôt négatif » le bilan de son action, et 29 % seulement se montrent favorables. 59 % se déclarent déçus par l'action du président, et 24 % s'affirment satisfaits. C'est que, si François Mitterrand a changé, les Français ont évolué encore plus vite que lui. A l'automne 1983, on constate que les citoyens ont viré leur cuti idéologique. Selon un sondage BVA pour *Paris-Match,* 74 % plébiscitent le franc fort, 62 % jugent

1. Le 5 novembre 1983, voyage en Poitou-Charente.

préférable que l'État s'occupe des entreprises plutôt que des particuliers, 56 % qu'il vaut mieux développer le secteur privé que le secteur nationalisé (25 %). Et la plupart estiment que pour sortir de la crise, il vaut mieux réduire les interventions de l'État dans le domaine économique. 54 % des personnes interrogées, enfin, estiment que la gauche n'a rien changé à la crise et 36 % qu'elle a même agi comme un facteur aggravant. C'est 1981 à front renversé. On comprend que les militants aient du vague à l'âme et que les intellectuels de gauche se terrent. On ne les entend plus. Silence partout. Max Gallo, l'ébouriffé porte-parole du gouvernement, a beau tenter de les sortir de leur torpeur, en plein mois d'août [1] – « Où êtes-vous, que faites-vous ? Soutenez-nous, engagez-vous » –, il n'obtient guère de réponse et n'aperçoit que l'herbe qui verdoie et la route qui poudroie. Les intellectuels demeurent sur leurs transats. Cois. Comme dit le poète : « On est si bien tout nu dans une vaste chaise. »

Pourquoi le président a-t-il ainsi brusquement changé ? Les meilleurs spécialistes s'interrogent. Et ne trouvent pas de réponse. Mais pourquoi chercher loin ? Ses raisons, ce sont peut-être simplement les contraintes qu'impose « l'alliance du socialisme et de la durée ». Ce qui, en 1981, paraissait être un avantage, est devenu un piège. Sous les Républiques précédentes, quand la politique économique de la gauche vidait les caisses de l'État et de la Banque de France, on rappelait dare-dare des hommes de droite pour redresser la barre : Raymond Poincaré après le cartel des gauches, Paul Reynaud après deux années de Front populaire. Mais les institutions de la Ve garantissent au pouvoir la stabilité : au lieu de changer de titulaire, il doit se changer lui-même. Voilà François Mitterrand

1. Dans un article du *Monde*.

contraint de se muer en Paul Reynaud pour réparer ses propres erreurs.

Il abandonne donc le socialisme des 110 propositions du candidat à l'Élysée, et déclare qu'il n'a jamais eu en tête qu'un seul idéal : « l'économie mixte » [1].

– Nous avons mis en place, explique-t-il dans une interview à *Libération,* une société d'économie mixte où cohabitent par définition secteur privé et secteur public. Notre projet de société est celui-là même qu'au nom des socialistes, j'ai proposé aux Français en 1981.

– Est-ce là le socialisme à la française ? demande Serge July, le directeur de *Libération.*

– Le socialisme à la française, c'est quelque chose d'infiniment plus large que l'économie, mixte ou pas. L'économisme, dont beaucoup abusent, à force d'occuper tout le terrain, finira par détruire les valeurs qui lui sont supérieures. Je parle peu du socialisme, car je parle désormais au nom de la France tout entière [2].

Or chacun sait bien que la France vit en régime d'économie mixte depuis Vichy et même un peu plus tôt. Ce que François Mitterrand ne précise pas, et qui est fondamental, ce sont les parts qui reviennent, dans ce système, à l'État d'un côté, aux entreprises de l'autre. Comme dans le pâté d'alouette, tout est question de proportion. Il ne dit pas non plus quel est le degré du pouvoir de l'actionnaire État dans les entreprises publiques, quel est leur degré d'autonomie. Il précisera sa vision des choses seulement un an plus tard : « L'État n'est pas une industrie, et les sociétés nationales ne sont

1. Encore faut-il savoir laquelle. Le 15 septembre 1981, en effet, Pierre Mauroy critiquait le précédent gouvernement, coupable à ses yeux d'avoir mené la France vers « la plus détestable des économies mixtes : l'État intervenant toujours trop tard, épongeant les dettes de certaines entreprises sur le dos du contribuable et laissant aux capitaux privés les projets des secteurs prospères ».

2. Interview publiée en mai 1983.

pas au service de l'État. Certes, elles ont des obligations particulières, mais elles doivent gérer, investir, organiser selon l'idée qu'elles se font. Si on devait les transformer en fonction publique vous assisteriez à la substitution d'une bureaucratie à toutes les forces vives. L'idée que l'entreprise nationale peut échapper à la crise et créer artificiellement des postes de travail, non [1]. »

On est loin de la logique de 1981. Mais pour l'heure, l'objectif qu'il poursuit est de signifier au pays qu'il évolue et réfléchit à haute voix à un compromis entre la tradition socialiste qu'il entend incarner et les contraintes de la réalité économique qu'il rencontre.

« A ce moment, note Claude Estier, François Mitterrand croyait encore, et beaucoup d'autres avec lui, que la parenthèse de la rigueur pourrait être refermée avant que se profile l'échéance législative de mars 1986. Cet espoir s'évanouira bientôt [2]. »

Quoi qu'il en soit, ce virage vers la modernité a pour effet de propulser un nouveau personnage au tout premier plan : Laurent Fabius.

Alors même que François Mitterrand demande à Pierre Mauroy de former un nouveau gouvernement, en mars 1983, il songe déjà que son brillant protégé pourrait entrer un jour à l'hôtel Matignon. Et celui-ci, bien entendu, ne pense qu'à cela.

Dès cette époque, devenu ministre de l'Industrie et de la Recherche [3], il se fait l'écho permanent, le haut-parleur aussi, du nouveau credo élyséen. Son vocabulaire, bientôt, paraît se limiter à ce seul mot : modernisation. Les Français qui gardent encore en mémoire les incantations

1. Octobre 1985.
2. Claude Estier et Véronique Neiertz, *op. cit.*
3. Jean-Pierre Chevènement était, lui, ministre de la Recherche et de l'Industrie : un glissement sémantique lourd de sens modernisateur !

de Valéry Giscard d'Estaing sur la France moderne s'imaginent que le jeune ministre socialiste se prend pour le précédent président. Ils se trompent : celui que regarde Fabius, pour mieux le mimer, c'est François Mitterrand. Et il ne fait que mettre en parole la nouvelle harmonie élyséenne.

La gauche, arrivant au pouvoir, était persuadée qu'il fallait sauver les industries traditionnelles. Lui, désormais, met l'accent sur les industries de l'an 2000. Il crée un Fonds industriel de modernisation, doté d'un budget de 9 milliards de francs où pourront seules venir puiser les entreprises (privées ou publiques) qui proposent un projet de modernisation. « Je ne suis pas partisan de subventions à fonds perdus, confie-t-il à *l'Expansion* en novembre 1983. L'effort doit consister à maintenir l'emploi chaque fois que cela est possible, et quand ça ne l'est pas, à préparer la reconversion de l'appareil productif. »

Il veut drainer l'épargne vers l'industrie avec les Codevi.

Les bonnes résolutions, il est vrai, s'arrêtent parfois au seuil de la circonscription électorale. La Chapelle-Darblay, le premier producteur français de papier journal, dépose son bilan en 1980. Personnel surabondant, machines hors d'âge, marché faiblissant : toutes les conditions sont malheureusement réunies pour condamner l'entreprise. Seulement voilà : cette usine, bastion de la CGT, est située dans le fief du ministre de l'Industrie. Alors, foin des déclarations sur la rigueur et la modernité : elle se voit allouer 3,2 milliards de subvention [1], le repreneur canadien se contentant d'apporter 1 million.

Il s'agissait de sauver 1 000 emplois. Les comptes sont donc vite faits : chaque emploi préservé coûte 3,2 millions aux contribuables. L'opposition crie au scandale.

1. Pour être exact, 1,4 milliard de subvention à fonds perdus, 900 millions de prêt à taux nul et 900 millions de prêts publics.

Et à l'intérieur du gouvernement, on n'apprécie guère.

Jacques Delors marquera le coup à sa manière, quelques mois plus tard, lorsque le directeur de cabinet de Fabius viendra quêter de l'aide pour un autre groupe aux abois, Creusot-Loire. « Pas de problème, dira en substance le ministre des Finances, donnez donc à Creusot-Loire les deux milliards inscrits au budget pour ce type de sauvetage. » Comme s'il ignorait que la somme était allée à la Chapelle-Darblay... Faute de crédits, le premier groupe français de mécanique lourde sera donc mis en faillite.

Pierre Mauroy trouve aussi l'occasion de grogner quand, un peu plus tard, les ouvriers de la papeterie normande se mettent à nouveau en grève. Car Fabius, cette fois, lui téléphone pour demander que les CRS fassent évacuer l'usine. Alors, Mauroy : « As-tu pris contact avec les syndicats ? » Fabius : « Ce n'est pas le problème, ce qui est en cause, c'est l'autorité de l'État. » Thierry Pfister raconte : « Le visage du premier ministre devient instantanément rouge brique. Il a déjà beaucoup supporté en silence sur ce dossier, il n'est pas disposé, en outre, à s'entendre faire la leçon au nom des grands principes exhumés pour l'occasion [1]. » Il refuse donc, sèchement. En ajoutant, pour faire bon poids, une « vipérine remarque sur les origines socialistes du ministre ».

Celui-ci ne se démonte pas pour autant. Peu importe l'exception Chapelle-Darblay, et les avanies qu'elle lui vaudra. L'important est de coller à la pensée de François Mitterrand, et de le suivre pas à pas dans ce labyrinthe culturel où il avance. Le nouveau ministre de l'Industrie crée donc une nouvelle Olympe dont les dieux sont – Jules Guesde, qui l'eût dit ? Jaurès, qui l'eût cru ? – des patrons. Dynamiques, bien entendu, entreprenants, bons gestionnaires, exportateurs, ou sauveurs de chefs-d'œuvre

1. In Thierry Pfister, *op. cit.*

en péril. Voici venue l'heure de Bernard Tapie, célébré et invoqué dans tous les discours dominicaux, dans tous les studios, sur toutes les estrades.

En 1982, s'adressant aux nouveaux patrons des entreprises nationalisées, Pierre Mauroy leur recommandait de faire de celles-ci des oasis sociales. Un an plus tard, Laurent Fabius exige qu'ils fassent des profits. Gare à ceux qui n'y parviendront pas : leurs têtes vont tomber. Pour que cela soit bien clair, on va faire un exemple : Bernard Hanon, le patron de Renault, annonce des déficits. Il est remercié.

Dans la nouvelle Olympe, le salut viendra de l'électronique. Déjà, Jean-Jacques Servan-Schreiber avait vu en l'ordinateur l'outil qui sortirait le tiers monde de son malheur. Fabius y voit celui qui sortira la France de l'ornière.

L'ordinateur partout! Tel sera le mot d'ordre quand Laurent Fabius deviendra premier ministre. C'est nouveau, ça vient de sortir, il faut en équiper tous les établissements d'enseignement : 100 000 « micros » dans les collèges et les écoles primaires [1], du matériel plus sophistiqué dans les lycées et les universités (ce qui coûtera 2 milliards). L'hôtel Matignon sera alors équipé de minitels dans chaque bureau, et quatre micro-ordinateurs destinés à l'édification et à l'initiation des visiteurs, installés dans le salon d'attente.

En propageant la religion de l'ordinateur, l'État est tout à fait dans son rôle : l'incitation. Car, aux yeux du nouveau ministre de l'Industrie, membre d'un gouvernement qui a nationalisé neuf groupes industriels et l'ensemble des banques, « l'État ne doit pas directement gérer et produire, il doit inciter, arbitrer, et ne pas se substituer

1. Où, faute de professeurs compétents, ils seront souvent enfermés dans des chambres fortes.

aux industriels (...) dans un pays où le pragmatisme est libéral, les performances sont optimales[1] ». Ainsi parle l'homme qui, au congrès de Metz, niait, face à Michel Rocard, la réalité des contraintes économiques.

Comment voulez-vous que les militants socialistes s'y retrouvent ? Ils ont beau savoir que c'est Laurent Fabius qui interprète le mieux la pensée du président – puisque le président lui-même le dit –, ils ne vibrent guère lorsque au congrès de Bourg-en-Bresse, en octobre, il leur demande : « Le socialisme est-il moderne ?... En quoi prépare-t-il aujourd'hui l'avenir ? »

Pierre Mauroy est autrement ovationné lorsqu'il leur jette en pâture la loi sur la presse qui, tout le monde le comprend, n'est qu'une loi anti-Hersant. « Pour garantir la liberté de la presse écrite, dit-il, il faut appliquer sans faiblesse et sans retard les ordonnances de 1944 qui devaient limiter la concentration des titres quotidiens dans le portefeuille d'un seul groupe ou les mains d'un seul homme. » Bien sûr, le premier ministre ne cite aucun nom, mais celui du personnage visé est sur toutes les lèvres. Et Mauroy s'écrie, tout enflammé : « Il faut rendre force de loi à ces ordonnances en les adaptant aux réalités de la presse contemporaine. Faut-il le faire ? »

La salle : « Oui, oui, oui ! »

Pierre Mauroy : « Alors, nous le ferons. »

Tous les congressistes se lèvent pour acclamer le chef du gouvernement. L'enthousiasme règne, il fait un tabac. Mais c'est un triomphe éphémère, il le sait. Les congressistes sont contents de lui, mais le président, lui, préfère Laurent Fabius.

1. Discours prononcé devant les assises des chambres de commerce.

### *La fin de Pierre Mauroy*

Entre François Mitterrand et Pierre Mauroy, la procédure de divorce, engagée au lendemain des municipales, s'accélère à mesure que grandit l'étoile de Laurent Fabius. En raison d'un désaccord politique de plus en plus évident.

Si le premier ministre, en effet, admet les restructurations indispensables, il n'en accepte pas toutes les modalités. Il faut éviter, pense-t-il, un effondrement des « secteurs lourds » qui ont donné à la gauche son assise politique, dans le Nord, ailleurs aussi : la sidérurgie, la construction navale. Il faut donc tenir sur la « crête » des 2 millions de chômeurs par le « traitement social » du chômage, étaler les restructurations industrielles, les gérer au coup par coup afin d'en contrôler les effets politiques.

Mais l'Élysée a choisi le « traitement économique » du chômage. « Il faut trancher dans le vif », estime François Mitterrand qui recommande un jour à ses ministres : « Il faut être brutal, soyez cruels, même. » C'est que la rigueur d'aujourd'hui garantit les investissements de demain et les emplois d'après-demain. Ces mots bouleversent Mauroy. Le discours sur la baisse des impôts, les suppressions d'emplois n'est pas le sien. Or, le chômage ne cesse de remonter. Et chaque mauvais indice est une souffrance personnelle pour le maire de Lille.

Au printemps de 1984, l'affaire de la sidérurgie va aggraver le fossé entre l'Élysée et Matignon. Le premier ministre sait bien que la rentabilité des entreprises sidérurgiques ne peut être espérée qu'après la suppression de 25 000 à 30 000 emplois à Usinor et Sacilor, qui comptent alors 90 000 salariés. Or, voilà que Laurent Fabius, qui se fait partout l'apôtre du dégraissage et de l'équilibre financier des entreprises, veut dépenser beaucoup pour la sidérurgie. Il se convertit soudain aux thèses de la direction de Sacilor pour devenir l'avocat d'un nouvel investissement : un train de laminage universel à Gandrange. L'investissement est lourd : 1,3 milliard de francs, un demi-milliard supplémentaire pour des appareils au sol. Il s'agit, dans l'esprit de la direction et de Laurent Fabius, de regrouper sur un seul site et de rationaliser toutes les productions. C'est aux yeux du jeune ministre le point de passage obligé pour moderniser la sidérurgie. Mais ce choix implique la fermeture d'un site du Valenciennois, le laminoir de Trith-Saint-Léger [1]. Et Pierre Mauroy estime que la région du Nord, sa région, a déjà beaucoup donné, trop sacrifié à la modernisation. Que les sacrifices soient donc mieux répartis! En outre, il se méfie des programmes qui, pour réduire des déficits, se traduisent d'abord par des investissements grandioses. Le projet Fabius entraînerait un déficit supplémentaire de 2 milliards.

Sur un tel dossier, dans une affaire de cette taille, le premier ministre ne peut décider seul. C'est au chef de l'État de trancher. Or, il est en voyage aux États-Unis.

En attendant son retour, Laurent Fabius s'active. Il commence à promouvoir son plan un peu partout. Il reçoit les élus de Lorraine, qui bien entendu l'encouragent. Mauroy riposte en défendant son point de vue devant les journalistes, qui crient au cafouillage gouvernemental.

De retour des États-Unis, lors du Conseil des ministres du 4 avril, le matin même de sa conférence de presse, le président arbitre en faveur de Pierre Mauroy. Blême, furieux, Laurent Fabius commence par refuser d'aller défendre le choix du gouvernement devant les caméras de

1. Il sera fermé en 1985.

la télévision. Il faudra un ordre exprès de Matignon pour qu'il s'y résigne [1]. Le même jour, François Mitterrand lui mettra du baume au cœur en le dotant de pouvoirs exceptionnels « pour prendre en charge l'ensemble du redéploiement industriel ». « Le chouchou avait eu un gros chagrin, son tonton lui a offert une très grosse sucette », raille un ministre. Mais cette promotion a le don de mettre Pierre Mauroy en fureur. Ainsi va la vie politique.

Décidément, le premier ministre ne se sent plus en phase avec le président. Une fois encore, il va tenter de forcer le destin. Il convoque tous ses ministres le 25 mai pour un séminaire de réflexion au pavillon de la Lanterne mis à la disposition des chefs du gouvernement dans le parc de Versailles. Il veut faire adopter une série de mesures pour limiter le chômage et étendre le système des préretraites, ce qui éviterait de compter 300 000 chômeurs de plus, mais coûtera 4 à 5 milliards de francs. « Si nous arrivons aux élections de 1986 avec 3 millions de chômeurs, prophétise-t-il, nous devrons faire les valises. » Les ministres communistes l'approuvent bruyamment.

Au Conseil des ministres suivant, Pierre Mauroy présente son plan au président qui lâche seulement : « C'est intéressant », et refuse de le faire figurer dans le communiqué final. Une fois encore, la logique industrielle triomphe sur la logique de 1981. Pierre Mauroy se sent désavoué. Il sait que ses jours sont comptés.

Pour clore l'aggiornamento, François Mitterrand va être contraint, en outre, de renvoyer aux calendes grecques le grand service public laïque unifié de l'Éducation nationale. Depuis des mois et des années, le dossier empoisonnait l'existence cahotique de la gauche au pou-

1. Pour se venger, il ne tardera pas à remercier Raymond Lévy, le patron d'Usinor qui était un farouche opposant au train universel de Gandrange.

voir. Alain Savary dépose finalement son projet le 19 avril. Ce qui aura pour effet de rassembler sur tout le territoire les plus grandes manifestations populaires que la France ait connues depuis 1968. Le 4 mars 1984, 800 000 personnes défilent à Versailles en chantant « Liberté » et en accusant le gouvernement d'être liberticide. Le 4 avril, le président monte d'abord en ligne pour défendre le projet qu'il juge « honnête et sain » : « Je pense, dit-il, que les propositions de M. Savary, dès lors qu'elles ôtent à l'enseignement privé cet étonnant privilège de pouvoir recruter sans limitation budgétaire son personnel enseignant, sont bonnes. C'est une bonne chose de revenir sur ce privilège et de le supprimer. »

Le 25 avril, le comité national d'action laïque essaie de riposter à la manifestation de Versailles. Mais ses bataillons paraissent quelque peu dégarnis face aux régiments mobilisés par l'École libre.

Des deux côtés, le ton monte. Les chances de compromis paraissent de plus en plus minces.

Là-dessus, le 17 juin, les élections européennes sont marquées par une défaite cuisante de la gauche, qui recueille 32 % des voix – son score le plus bas depuis 1968 (20 % pour le PS, 11,20 % pour le PC). Le lendemain 18 juin, à l'émission *l'Heure de vérité,* Jacques Delors prêche pour le consensus national. De même qu'il se verra plus tard premier ministre de Raymond Barre, il indique ce jour-là qu'il pourrait bien travailler avec Bernard Stasi. N'est-ce pas le signe que l'Union de la gauche se meurt ? Beaucoup le croient.

Une semaine plus tard, nouvelle manifestation pour la défense de l'enseignement privé, à Paris cette fois. Elle réunit un million et demi de Français dans les rues de la capitale. Le 5 juillet, en déplacement en Auvergne, François Mitterrand déclare : « J'entends rester fidèle à mes engagements, mais je tiens compte de plus en plus de ces millions de Français qui pensent autrement que moi. » Autrement dit, il commence à bouger.

C'est qu'il n'a pas tellement le choix. Il sait que trois articles du projet Savary risquent d'être déclarés non conformes à la Constitution. Et les laïcs ne sont pas en mesure de riposter aux défenseurs du privé. « Pourquoi les laïcs n'ont-ils pas mobilisé les enseignants, après le 24 juin ? s'interroge Claude Estier qui répond : On ne mobilise pas les enseignants à l'heure où tout le monde part à la plage [1]. » Incroyable mais vrai ! Un sondage de la Cofremca a montré qu'un gros tiers des enseignants – surtout les enseignantes – ne se sent pas concerné par ces affaires de laïcité : le recrutement des instituteurs a évolué depuis la III^e République. Le combat socialiste apparaît comme un combat d'arrière-garde. François Mitterrand va user de sa tactique favorite : en difficulté sur un terrain, il se précipite sur un autre. Ce sera celui des institutions.

Le 11 juillet, de retour d'un voyage en Égypte, il fait annoncer qu'il parlera le lendemain à 20 heures à la télévision. Et le lendemain, il renverse le jeu. Plus question de loi Savary. En revanche, les Français seront consultés, par référendum, sur une révision constitutionnelle qui permettrait au président de la République, dans l'avenir... de les consulter par référendum « sur les grandes questions qui concernent ces biens précieux, inaliénables que sont les libertés publiques ». « A 20 h 6, le message est passé sur toutes les chaînes. François Mitterrand se tourne vers Pierre Mauroy, Louis Mermaz et Pierre Joxe et leur lance : “ Depuis six minutes il n'y a plus de problème scolaire. ” » Et voilà !

Quand Clemenceau voulait enterrer un projet, il créait

1. In Claude Estier et Véronique Neiertz, *op. cit.*

une commission. François Mitterrand a trouvé une procédure plus adaptée aux couleurs du temps et aux usages de la Ve République. Adieu le grand service public, laïque et unifié de l'Éducation nationale. Le dernier pan de l'idéologie socialiste vient de passer à la trappe. Alain Savary démissionne, suivi le 17 juillet par le premier ministre qui demande à quitter Matignon. Décidément il a trop avalé de couleuvres. Et par les ministres communistes qui prennent avec lui la poudre d'escampette.

Le référendum sur le référendum n'aura jamais lieu.

Durant l'été, François Mitterrand, dînant chez des amis en Dordogne, explique, tranquille comme Baptiste : « L'annonce du référendum a permis de changer le jeu (...) Cela nous a donné de l'air, avec la possibilité de nous débarrasser de la question scolaire et de poser devant l'opinion les problèmes économiques [1]. »

Là vraiment, on se demande si Ronald Reagan aurait été capable de faire aussi bien!

1. In Claude Estier et Véronique Neiertz, *op. cit.*

## Les années noires

En installant Laurent Fabius à l'hôtel Matignon, François Mitterrand veut surprendre et impressionner. Pour remplacer Pierre Mauroy, serviteur zélé mais usé jusqu'à la corde, il lui faut choisir son contraire : il nomme donc le plus diplômé, le plus patricien, le plus introverti, le moins socialiste. L'un des proches du président, écrivant en 1987 sous un pseudonyme [1], explique ainsi son dessein : « Dès le soir de son élection, il savait que les hommes qu'il choisissait pour le servir dans l'enthousiasme des premiers mois auraient vite les reins brisés et qu'il devrait alors se tourner vers d'autres qui présenteraient une image contraire. Et lui, prendrait appui sur les uns et les autres pour se renforcer de leur victoire et – c'était là la preuve de son génie – se grandir de leur défaite. » Dans l'immédiat, en tout cas, il trouve à l'opération un double avantage : il peut espérer avoir plus de prise sur le nouvel hôte de Matignon – « Mitterrand premier ministre », titre *Libération* le jour de la nomination de Fabius –, et il donne au pouvoir comme une nouvelle jeunesse (il ne cesse d'évoquer avec satisfaction

1. Plutarque, *op. cit.*

l'âge du premier ministre qu'il a, comme il dit, « donné à la France »).

Très rapidement, pourtant, ce cadeau va, pour le président, se montrer plutôt encombrant. Certes, le calcul se révèle d'abord juste : l'arrivée à Matignon d'un premier ministre de trente-huit ans (accompagné d'une épouse qui se montre volontiers guillerette, au volant d'une 2 CV aux banquettes arrière encombrées de paquets de couches Pampers destinées à ses deux bambins) donne un bon coup de vieux à la classe politique tout entière. Mais le chef de l'État n'y échappe pas.

Et puis Laurent Fabius n'entend pas se cacher derrière son ombre. Il ne veut pas être un baby Blum au pouvoir, mais plutôt Mendès France junior – pessimisme en moins, comme si Cassandre en politique avait terminé son long exil. Il veut se montrer, et imprimer sa marque.

Bientôt, il impose à la télévision – sans doute au nom de la liberté d'information – une émission mensuelle intitulée *Parlons France,* où pendant un quart d'heure il répond à des questions, toujours choisies pour ne pas trop l'embarrasser. Au cours de ces causeries de coin du feu, il se fait pédagogue. Il entend être accessible à tous, familier aussi. Et il accompagne ses propos de petits mouvements de ses mains de damoiseau, comme s'il voulait les traduire lui-même à l'intention des malentendants.

Et que dit-il ? Qu'il est un gestionnaire, amoureux de l'entreprise, soucieux de rentabilité. Il dit aussi : « Il ne faut pas décourager les hauts revenus. Ceux qui travaillent le plus doivent être récompensés [1]. » D'un coup, toute la terminologie socialiste est gommée. Plus question de « rupture avec le capitalisme, d'autogestion, d'exploitation de l'homme par l'homme ». Pour que ce soit bien clair il le souligne : « On ne peut pas préparer la France à affronter

1. A *l'Heure de vérité,* septembre 1984.

la fin du XXe siècle avec un esprit d'intolérance et des idées d'avant-guerre [1]. » Il confesse même à *Paris-Match* : « Le vote de 81 ne m'a jamais semblé être une conversion au socialisme. »

Lui, Fabius, s'offre en holocauste pour faire le « sale boulot », c'est-à-dire supprimer les emplois quand la rentabilité l'exige, et assumer les rudes exigences de la rigueur : « Il ne faut pas tourner autour du pot, nous avons besoin de continuer à être stricts. » Foin des promesses, « je ne m'engage pas sur des chiffres (du chômage), ce serait tromper les gens, mais sur une volonté ». La volonté de gagner en répudiant les tentations du protectionnisme, en tirant les leçons des modèles allemand et japonais.

Voilà la droite pratiquement privée d'arguments. D'autant que Laurent Fabius joue les démineurs et classe tous les dossiers brûlants. Ainsi, la loi sur la presse, chère à Pierre Mauroy, votée en août 1984 après un an de débat, et recalée en partie par le Conseil constitutionnel, ne sera jamais appliquée. Edgard Pisani qui, en Nouvelle-Calédonie, avait réussi à faire contre lui l'union des Caldoches avec son plan d'indépendance-association, est rappelé à Paris. Un ambassadeur à poigne, Fernand Wibaux, le remplace, avec mission impérative d'apaiser les esprits.

Laurent Fabius a retenu les leçons de son maître François Mitterrand : seule la retraite en bon ordre permet de sauver les meubles. Et ça marche. Il s'envole dans les sondages. Ses ministres ne vont pas tarder à l'imiter.

Jean-Pierre Chevènement avait quitté le gouvernement Mauroy sous prétexte que sa politique était trop droitière. Il revient avec Laurent Fabius comme si celui-ci allait

1. Le 5 septembre 1984 sur Antenne 2.

donner un coup de barre à gauche. Et il s'installe à l'Éducation nationale à la place d'Alain Savary. Hors du gouvernement, le maire de Belfort avait manifesté d'excellentes dispositions pour le terrorisme intellectuel afin d'imposer ses idées ou d'embêter ses petits camarades. Mais à son retour dans le giron gouvernemental, il n'y a pas plus convivial et accommodant. Ayant pris la mesure du fossé qui s'est créé depuis 1981 entre les Français, la gauche et l'école, et soudain désireux d'apaiser les passions, il réinvente « le bon sens près de chez vous ». Et, invoquant le patronage du père fondateur, Jules Ferry, il fait d'une évidence une idée neuve : l'école, répète-t-il, a pour objectif d'instruire et les élèves doivent y apprendre à lire et à écrire. Il faut remettre dare-dare au travail tout ce petit monde. Réhabiliter le mérite, la discipline, les devoirs, oui les devoirs! Savoir chanter la Marseillaise, l'hymne national, avec toutes ses strophes, et vive le patriotisme! La droite, tout ébaubie, doit s'avouer qu'au même ministère, peu des siens auraient osé en faire autant.

Mais s'il donne à ses réformes une couleur fin de (XIXe) siècle, les autres rivalisent de modernisme. Jack Lang le premier – c'en est un pléonasme – qui, redevenu – Dieu en soit loué – ministre à part entière, assiste de nouveau au Conseil des ministres. Mais aussi Pierre Bérégovoy, chouchou de la city française. On loue dans les dîners sa réforme du marché des capitaux, qui accentue l'internationalisation du marché financier. Il est tout gonflé d'aise d'être désormais reconnu à la Bourse des valeurs financières. Mais encore Édith Cresson, ministre de l'Industrie [1], qui assure à *Libération* « n'avoir pas de religion en matière de nationalisation », ce dont personne

1. Ou, plus précisément, ministre du Redéploiement industriel et du Commerce extérieur. Nouveau glissement sémantique.

ne s'était aperçu en 1981. Les temps ont changé. Sous le gouvernement Fabius les entreprises nationalisées vont gérer leur portefeuille d'activités librement, licencier autant qu'elles le voudront, rationaliser leur outil de production. Invitées à trouver leur financement sur le marché financier (au lieu de toujours tendre une sébile à l'État, donc au contribuable), elles vont émettre des titres participatifs et des certificats d'investissement, et introduire en Bourse les actions de leurs filiales. Des mesures qui constituent une amorce de dénationalisation : par simple conversion des certificats d'investissement en actions de plein droit, la participation de l'État se trouve réduite.

Ils sont modernes et ils plaisent. En 1985 être socialiste c'est faire baisser l'inflation[1]. Et bien entendu le champion des champions se nomme dans les premiers temps du nouveau gouvernement (car Fabius ensuite le dépassera un temps) Michel Rocard. Les Français l'aiment tant que bien des camarades, la mort dans l'âme, commencent à accepter l'idée qu'il sera le successeur. Même Jean Poperen qui l'appelait jadis Rocard d'Estaing paraît se résigner. D'autant que François Mitterrand bat un autre record : celui de l'impopularité.

Tous les présidents de la République ont subi, un jour ou l'autre, l'épreuve du mécontentement populaire. Mais, dans les sondages, le général de Gaulle n'est jamais descendu au-dessous de 42 % de « satisfaits » (au pire moment : celui de la grève des mineurs). Georges Pompidou s'est constamment maintenu au-dessus de la barre des 47 %. Et celui qui s'est le plus approché du bord du gouffre, Valéry Giscard d'Estaing, n'est pas allé plus bas

1. Et avec succès. En 81, l'inflation était de 13,4 % en France, 5,9 en RFA, 11,6 en Grand-Bretagne, 19,1 en Italie. Le mouvement de déflation va se généraliser. En 86, il sera de 3 % en France, 0,1 en RFA, 4,2 en Grande-Bretagne, 7,2 en Italie.

que 35 % de satisfaits. En novembre 1984, François Mitterrand pulvérise tous ces chiffres. Il recueille, lui, 26 % de satisfaits, à peine un Français sur quatre!

Six mois plus tard, en juin 1985, Serge July, le directeur de *Libération,* constate : « L'impopularité de Mitterrand, spécialement depuis 1983, a pris une telle ampleur qu'elle constitue l'une des grandes interrogations de ce septennat. » C'est constater que le président n'a tiré nul avantage personnel de l'offrande faite à la France d'un jeune premier ministre, pas plus que du départ des communistes du gouvernement, pas plus que de son virage lof pour lof vers l'horizon de la modernité. Serge July croit avoir trouvé la clé du mystère : « Mitterrand, poursuit-il, est peut-être trop complexe. En période de crise, seuls les hommes simples parviennent à être populaires. »

Comment affronter ces vents mauvais ? Il n'est pas dans la nature de François Mitterrand de rester inerte. « La survie n'existe que si l'on est conquérant. Toute situation défensive est perdue », glisse-t-il en confidence lors d'un voyage officiel en Alsace, pendant l'hiver 1984. Et, interrogé à la télévision sur l' « inversion des rôles » entre un premier ministre qui essaie de paraître au-dessus de la mêlée et un président qui « prend tous les coups » dans l'arène, il répond, benoît : « Je trouve très bien que le premier ministre soit mieux placé que moi dans les sondages... S'il était au même point que moi, ce serait dommage pour lui, ce serait dommage pour la France. » Il ajoute quand même, *in fine* : « Pour moi personnellement je pense que ce n'est pas tout à fait la part que je mérite [1]. »

Ce n'est pas l'avis des Français : il continue à patauger dans le désespérant marécage de l'impopularité. Lors de

1. A la télévision, janvier 1985.

l'émission *Ça nous intéresse Monsieur le Président* au printemps 85, Yves Mourousi revient donc à la charge : « Ça ne vous fait pas rêver quand vous voyez les chiffres de popularité de Fabius, ou que Jack Lang est approuvé par 64 % des Français ? »

Réponse du président, tout sourire : « Je suis très content pour eux et je suis très content de pouvoir leur servir de bouclier. » La belle histoire ! Comme disait Jean Cocteau : « Ces mystères nous échappent, feignons d'en être les organisateurs. » François Mitterrand fait de son malheur une nouvelle théorie constitutionnelle. Et alors qu'il était convenu depuis les débuts de la Ve République que le premier ministre servait de bouclier ou, plus familièrement, de « fusible » au chef de l'État, la règle est inversée : le président protège le jeune premier ministre qu'il a donné à la France.

Tout au long de cette émission, François Mitterrand joue les férus de modernité. Il s'agit d'apparaître chébran (branché) ou bléca (câblé). Invité comme caution, Bernard Tapie est sur le plateau, en compagnie d'une kyrielle de gens à la mode. Donc, on abandonne tout protocole. Curieux duo : Yves Mourousi joue le rôle de la star, et François Mitterrand celui du guest star. Celui-ci assis, celui-là debout. Ce qui conduit le premier, tout naturellement, à s'adresser au second avec autorité, voire quelque condescendance. Le journaliste plaisante, lance ses images et ses clips, et sollicite dans l'instant la réaction du président. François Mitterrand se laisse bousculer par la logique de la politique spectacle. Consolation : il réunira une audience record, fera autant de « points » à l'Audimat que Patrick Sabatier en personne. Ce que le service de presse de l'Élysée s'empressera dès le lendemain de souligner.

Mais il est dit que cette année-là, en 1985, sera pour François Mitterrand le temps de toutes les poisses. A tel point qu'on finira par se demander dans le Landerneau politique et médiatique s'il n'a pas le mauvais œil. Et pour se souvenir qu'après tout il a raté beaucoup de combats au long de sa longue carrière, à commencer par ceux qui ont jalonné sa course-marathon vers l'Élysée. Une évidente preuve de cette noire scoumoune est assenée en septembre quand le président décide d'assister, sur la base de Kourou, au départ de la fusée Ariane. Une grande première, ainsi célébrée par Laurent Fabius qui ouvre à ce moment la 38e session de l'institut des Hautes Études de défense nationale : « La fidélité à la stratégie nucléaire et le rôle mondial de la France sont illustrés avec un éclat particulier par la présidence de la République à Kourou et à Mururoa. »

Rien ne se passera comme prévu et désiré. A peine le Concorde présidentiel s'est-il engagé sur la piste d'envol de Roissy que se révèle une défaillance du circuit de freinage. Après deux faux départs, il faut se résigner à changer d'appareil. Deux heures de retard. Et un mauvais point pour le symbole de la technologie nationale. Ce n'est qu'un début.

Enfin arrivé sur la base, le président célèbre cette « grande réussite française, avec des prolongements internationaux », puis gagne avec sa suite la salle de contrôle Jupiter. C'est l'angoisse habituelle des comptes à rebours. Partira, partira pas ? Partira. On suit encore Ariane des yeux quand, horreur ! le moteur du troisième étage de la fusée explose.

Échec du tir, un milliard et demi de dégâts. Un membre de la suite consulte un calendrier : c'est un vendredi 13, comme par hasard.

Après un triste dîner, la délégation se prépare à poursuivre le voyage. Mais la poisse persiste. L'un des deux hélicoptères Puma fait des siennes. Ses rotors refusent de tourner : panne de batterie. Il faudra donc deux rotations pour transporter le cortège vers le Concorde. Mais cet avion de rechange (qu'on appelle « le mulet ») connaît de nouveaux ennuis. Nouveau retard. Et nouveau coup porté à l'image de la technologie nationale. Pauvre François Mitterrand qui voulait donner un éclat particulier à ce voyage et qui aime tant la technologie ! Dominique Jamet écrit dans *le Quotidien de Paris* : « La signification nationale et géopolitique d'un déplacement sur lequel on a voulu que le monde braquât ses lunettes d'approche risque d'être largement éclipsée par cette série noire d'incidents et l'intense rigolade afférente. »

Mais le malheur des uns fait parfois le bonheur des autres. Celui de Laurent Fabius pour commencer. Dès son arrivée à Matignon il a compris le parti qu'il pouvait tirer de l'impopularité du président. En tout cas il a pris ses distances : « Lui c'est lui, et moi c'est moi. » Ne pas confondre. S'il vous plaît.

Ayant dit, Fabius fait quelques pas de plus. Qui n'avance pas recule. Il le sait. Il avance donc. Au risque, assumé, d'écraser quelques pieds au passage. D'ailleurs, tout lui réussit. Il devance Michel Rocard lui-même dans les sondages de popularité : 57 % contre 51 % [1], alors que François Mitterrand se traîne à 27 %.

Juin 1985. A Marseille, le premier ministre annonce qu'il va conduire la campagne des législatives. Rien de plus naturel, puisqu'il est le chef de la majorité (réduite aux seuls socialistes depuis qu'il a formé son gouvernement). Mais il ajoute que sa stratégie électorale sera le « rassemblement de personnalités autour du PS » : un grand front républicain. Lionel Jospin suffoque. Et proteste : « Est-ce que j'empiète, moi, sur l'espace gouvernemental ? Qu'on me laisse exister. » Et d'ajouter : « Nous

1. Sondage Sofres-*Figaro Magazine* du 7 avril 1985.

ne nous sommes pas donné tout ce mal pour construire une force socialiste en France pour, au moment d'une bataille décisive, la dissoudre dans un front républicain. C'est au premier secrétaire, souligne-t-il, furieux, que revient la responsabilité de mener le combat électoral des socialistes, et sur des thèmes de gauche [1]. » Il est tellement mécontent, Lionel Jospin, qu'il décide d'annuler la conférence de presse annoncée huit jours plus tôt. Laurent Fabius joue les paisibles et dédramatise : « Tempête dans un verre d'eau, et problèmes de susceptibilité. » Et explique : « A chacun son rôle, le premier secrétaire doit être le gardien de la flamme, le premier ministre le rassembleur. »

Paisible, Laurent Fabius l'est-il vraiment ? Et s'il songeait déjà à l'horizon 1988 ? Et aux moyens de barrer la route à ce Rocard, chéri des foules, qui a cru possible d'annoncer sa candidature en ajoutant que cette fois – croix de bois, croix de fer – c'est juré : il ira « jusqu'au bout ».

Et si c'était vrai ? Pas question de lanterner. Laurent Fabius s'active. Chacun se comporte comme si l'on était déjà entré dans l'ère post-mitterrandienne. Et sans prendre garde à une petite phrase lancée par le président lors de son émission avec Yves Mourousi : « Je dis : deux septennats dans la même ligne pour poursuivre le même projet, ce serait plus sûr. Car sept ans, je suis en train de m'en apercevoir, c'est court. » Il est vrai qu'il a dit : « dans la même ligne » ; pas obligatoirement « avec le même homme ».

Quelque temps plus tard lorsque le fidèle Jospin lance à la ronde que « le meilleur présidentiable pour 88 ce serait François Mitterrand », celui-ci rétorque que le premier secrétaire « aurait mieux fait de s'informer de ma pensée avant de parler. En 1988 j'aurai soixante et onze ans et il faudra tenir compte de l'usure du temps et de l'usure de la politique [2] ».

1. Ce fameux front républicain se réduit pour l'heure à Olivier Stirn, Huguette Bouchardeau et Henri Fizsbin...
2. In *le Monde,* juillet 1985.

Le congrès socialiste de Toulouse, en octobre, semble donc indiquer que pour les hommes du parti, la page est bien tournée. D'autant qu'une actualité cruelle a souligné les faiblesses du pouvoir. Depuis le milieu de l'été, les médias diffusent tous les échos de l'affaire Greenpeace, qui manifestent la discorde régnant dans les rangs gouvernementaux et plus haut encore. Charles Hernu, qui n'y a pas résisté, est ovationné par les militants. Mais Laurent Fabius est également atteint par les rebonds de cette sombre histoire. Une voie royale semble donc s'ouvrir devant son rival, Michel Rocard, qui a quitté le gouvernement au mois d'avril, lançant sa démission en pleine nuit : il n'acceptait pas que le gouvernement ait changé la loi électorale. Fait sans précédent : il a recueilli jusqu'à 30 % des mandats dans les fédérations, ce qui inquiète fort la vieille garde mitterrandiste. Mais il va s'ingénier à tout rater.

Son discours d'abord. Un désastre. Le maire de Conflans oublie que pour être entendu d'un aussi vaste auditoire, il faut parler devant le micro, et quand, par hasard, ses mouvements oratoires l'amènent face à cet instrument, les congressistes ne perçoivent qu'un antique galimatias. L'apôtre du socialisme de demain s'emberlificote dans la problématique d'avant-hier. Le chantre courageux du parler vrai administre au congrès une magistrale démonstration de parler obscur.

Il tentera de se rattraper en montant une deuxième fois sur scène. Mais un charme a été rompu. On l'écoute moins. Il doit se contenter d'un petit succès d'estime.

Et puis, son discours n'a plus rien d'original. Tout le monde parle comme lui. Tout le monde jongle avec l'avenir, la modernité, la rigueur, les grands équilibres. Lionel Jospin a beau mettre ses troupes en garde : « Il ne faudrait pas nous laisser griser par l'idée que nous sommes seulement des gestionnaires » –, il est peu entendu. Les congressistes enterrent joyeusement le maximalisme utopique et l'ouvriérisme pour intellectuels qu'ils acclamaient à Metz. Entraîné par cet élan iconoclaste, le premier secrétaire lui-même se laisse aller à souligner : « Le PS n'est plus un parti de classe, mais le parti du salariat. » Tandis que Jean-Pierre Chevènement constate, sans déplaisir apparent : « L'union de la gauche, nous ne la reverrons plus. »

Vedette à l'ouverture du congrès, Michel Rocard ne l'est déjà plus le lendemain. D'autant que Laurent Fabius a fait ce qu'il fallait. Du grand art : une autorité faussement nonchalante, une science extrême de la séduction, le génie de neutraliser l'adversaire en l'enfermant dans un embrouillamini de gentillesses et de perfidies, une manière incomparable, enfin, de paraître planer au-dessus de la mêlée pour mieux la dominer.

Frais émoulu du conservatoire Mitterrand, ce jeune artiste égale presque son professeur ! Il flatte son public, et parvient même à l'émouvoir : « Dans la bataille qui s'ouvre, dit-il, nous avons besoin d'unité. Nous avons besoin de toi, Lionel, de toi, Pierre, de toi, Michel. » Les congressistes sont bouleversés. Lionel, Pierre et Michel en ont la larme à l'œil. Enfin, pas tout à fait. Car les rocardiens, notamment, s'indignent : « C'est un tueur ! » Un maître ès politique politicienne en tout cas, capable de faire passer son sang-froid de professionnel pour du souffle militant.

Il sait jouer tous les airs, ce jeune homme. Libéral et gestionnaire, bien sûr, puisque c'est désormais sa marque : « J'attends de vous, dit-il aux congressistes, que nous abandonnions définitivement ce que j'appelle la culture d'opposition...

« Il n'y a plus aujourd'hui deux socialismes, l'un de gestion, l'autre d'utopie, il n'y a plus qu'une culture socialiste, celle qui prend en charge les intérêts de la société tout entière. »

Mais tiers-mondiste aussi, car c'est le refrain favori des militants pour qui un pays pauvre est nécessairement un pays pur, et qui ont applaudi successivement les révolutions du Vietnam, de Cuba, de l'Angola, pour découvrir ensuite que dans ces pays l'aurore socialiste avait engendré le matin des dictateurs. Au congrès de Toulouse, c'est l'heure de l'Amérique centrale et surtout de Nelson Mandela, emprisonné dans les geôles de l'Afrique du Sud, et dont l'évocation par Laurent Fabius provoque un délire dans la salle.

Quelques grognards mitterrandistes enregistrent sans plaisir excessif une affirmation du premier ministre – « Une nouvelle génération est au pouvoir » – qui fait bon marché de l'hôte de l'Élysée. Mais ce n'est pas seulement la génération des dirigeants qui est nouvelle. C'est l'orientation et le climat du congrès. Pour la première fois, on ne chante plus « l'Internationale » en guise d'*ite missa est.* Et dans les stands qui jouxtent la salle de réunion, les habituels potiers du Larzac et autres artisans du Sénégal ou du Guatemala ont été remplacés par les expositions des entreprises de pointe – Matra, Thomson, EDF. Preuve encore que le PS a changé, les femmes n'y sont pas plus considérées que dans les partis conservateurs. Yvette Roudy, la pauvre chatte, doit organiser une manif pendant le congrès pour témoigner contre la mauvaise volonté des camarades qui ne leur offrent pas beaucoup de place. Jacques Delors peut s'écrier : « Le congrès de Toulouse est un petit Bad Godesberg. »

Le journaliste Jean-Marie Colombani l'écrit dans *le Monde* : « Toulouse est le premier congrès social-démocrate du PS. Il est aussi le premier congrès de l'après-Mitterrand, plus personne ne songeant à se positionner par rapport à lui. » *Le Monde* titre même : « Le congrès des héritiers ». De fait, jamais le nom de François Mitterrand n'aura été aussi peu évoqué que lors de ce congrès. Qui aurait imaginé que deux ans plus tard au congrès de Lille, tous les hiérarques du PS allaient se donner le mot pour ne rien dire à la tribune ? Oui, ne rien dire et ne rien faire qui pourrait gêner François Mitterrand au cas où il voudrait se représenter ? Retour à Toulouse. Le journal du soir eût pu écrire : « Le congrès de l'héritier ». Car aux yeux de tous, il n'y en a qu'un, et c'est Fabius.

Pour couper le cordon ombilical, le premier ministre va même un peu vite en besogne. Aux journalistes de *l'Express* qui lui demandent au lendemain du congrès : « Quel est votre maître à penser en politique ? », il répond : « Je n'aime pas les maîtres à penser, ils sont souvent des maîtres à se dispenser de penser. Mais j'admire beaucoup Pierre Mendès France. Il a désigné aux Français le véritable objectif : construire la République moderne. Par ailleurs, il s'est toujours efforcé de dire la vérité. » Pas un mot sur François Mitterrand. Comme pourrait l'écrire Claude Sarraute à la dernière page du *Monde* : « Et mon mimi dans tout ça ? Nada ! Il est bien ingrat ce fafa. »

Deux mois plus tard, quand François Mitterrand reçoit le général Jaruzelski à l'Élysée, en le faisant entrer par une porte dérobée, Laurent Fabius avoue son « trouble » sans complexes excessifs et rappelle « que la décision de recevoir un chef d'État étranger relève du président de la République et de lui seul », pour bien souligner que s'il y a eu faute, lui n'y est pour rien. « Si j'avais été troublé je serais parti », déclare ce jour Jacques Chirac à *l'Heure de vérité*, qui exprime en outre sa « stupéfaction » qu'en la circonstance Fabius n'ait pas été au préalable consulté par le président de la République. Du coup, le chef de l'État fait presque figure d'accusé, il doit se justifier. « J'ai pensé qu'ainsi je pourrais aider les Polonais, servir les intérêts français, que je pourrais servir les droits de l'homme et que je servirais le dialogue européen », explique-t-il sur Europe 1 à Jean-Pierre Elkabbach. Celui-ci insiste : « Mais alors, si le fait de recevoir le Sud-Africain Botha ou même le Chilien qui dirige Santiago pouvait améliorer le sort de leurs peuples, les recevriez-vous ? » Réponse du président : « Les choses ne se sont pas présentées ainsi. M. Botha a souhaité me rencontrer – en tout cas le premier ministre –, je ne l'ai pas reçu. L'aggravation actuelle de l'apartheid ne laisse malheureusement pas d'espoir immédiat [1]. »

En tout cas, le « trouble » de Laurent Fabius ne gêne pas très longtemps celui-ci. Il se sent pousser des ailes. Il a publié à la veille du congrès de Toulouse un livre qui n'a jamais figuré sur les listes de best-sellers [2] mais qui reflète bien ses sentiments de l'époque : « Le discours d'investiture que j'ai prononcé à l'Assemblée nationale quelques jours après ma nomination comme premier ministre a frappé, écrit-il par exemple (...) Il a frappé peut-être surtout par son ton, le rejet du manichéisme et de la démagogie, ce qu'on a appelé le style Fabius. » On n'est donc pas surpris de lire sur une autre page : « Nous devons désormais être plus modestes. » Mais c'est à un autre propos...

Pour l'heure, Laurent Fabius se trouve très bien à Matignon, en attendant l'Élysée. Ce qui provoque chez lui comme une douce ivresse. Et va l'entraîner à commettre sa première grande erreur. Il affronte Jacques Chirac au cours d'un débat télévisé. Superstitieux, il a revêtu un

1. En réalité, selon Thierry Pfister, quand Pieter Botha débarqua en France en 1984 pour s'incliner sur les tombes des soldats sud-africains morts sur notre sol pendant la guerre, François Mitterrand avait exigé de Pierre Mauroy qu'il le reçoive. Celui-ci avait refusé net. Et par écrit pour que les choses soient claires. Ce qui déplut fort au président. Lequel passa à son premier ministre, selon Pfister, « le savon de sa vie ».

2. *Le Cœur du futur,* Calmann-Lévy.

costume beige, celui-là même qu'il portait au congrès de Toulouse, et dont il peut espérer qu'il lui portera chance. Erreur : le beige donne mauvaise mine à la télévision; le bleu est préférable car il réchauffe le visage, les débutants eux-mêmes le savent.

La deuxième erreur est plus grave encore. Jusque-là, en effet, Laurent Fabius jouait les bons jeunes gens, aimables et compétents, détendus et souriants. Si bien que, dans le *Bébête Show* de Stéphane Collaro et Jean Roucas, il était figuré par un malicieux écureuil occupé à grignoter gentiment sa petite noisette. Et voilà soudain qu'il se montre arrogant, voire méprisant. Il s'était en effet préparé à répondre à un Jacques Chirac agressif et nerveux, mais celui-ci avait résolu de jouer cette fois les forces tranquilles. Du coup, Fabius se trouve pris à revers, et, comme un acteur qui récite une tirade apprise pour une autre pièce, ne cesse d'inciter nerveusement au calme un Chirac tout sourire et toute quiétude. Conscient de perdre la partie, il se désunit comme un coureur cycliste lâché par son concurrent, perd son self-control, finit par jeter le masque, et apparaît infatué de ses succès et de sa fonction. « Savez-vous que vous parlez au premier ministre de la France ? » lance-t-il enfin à Jacques Chirac, du ton dont il doit user, se disent alors les Français, lorsqu'il s'adresse aux huissiers de Matignon. Avec, par-dessus le marché, un geste de la main dédaigneux et désinvolte, comme qui balaie une mouche de la toile cirée. Son adversaire ne va pas laisser échapper si belle occasion. « Mais vous êtes un roquet, réplique-t-il. Cessez donc de me mordre les mollets. » Quand sonne le gong final, il n'est pas besoin d'arbitre pour désigner le vainqueur de ce match. D'ailleurs, un sondage réalisé aussitôt par la Sofres donne l'avantage à Jacques Chirac avec 44 % de réponses positives contre 24 % à Laurent Fabius. Dont la cote de popularité se trouve également atteinte.

Quand les jeunes gens trébuchent, les vieux sages peuvent croire qu'à nouveau l'avenir leur sourit. Après l'affaire Greenpeace et ce mauvais débat, François Mitterrand se prend à penser que son heure est revenue. Il se lancera donc dans la campagne des législatives. Pourtant, en janvier 1985, il avait dit à la télévision qu'il ne s'engagerait pas dans cette campagne « en tant que campagne proprement dite, non. En tant que direction à définir, oui ».

En octobre il précisait dans une interview à *Ouest-France* qu'il n'entendait pas « se mêler directement de la campagne électorale ». Mais il faut bien s'adapter aux contraintes de la politique. En faisant mine d'oublier ses propres erreurs – la réception du général Jaruzelski ou l'attribution de la cinquième chaîne de télévision à ses amis sans respect d'aucune procédure pluraliste. D'ailleurs, le bon peuple ne paraît pas lui en tenir rigueur. A partir de décembre, sa cote de popularité remonte. C'est qu'il se montre partout, et parle sur tout. Les conférences de presse succèdent aux interviews, et les discours aux réunions informelles de journalistes.

Il ne va plus dételer jusqu'au 16 mars 1986 [1]. Pendant la campagne des législatives, il prononcera deux grandes allocutions. A Lille et au Grand-Quevilly, les fiefs de ses deux premiers ministres. C'est pour reprendre les thèmes de 1981 : les riches exploiteurs des pauvres (alors que Laurent Fabius a reconnu que les riches faisaient de bonnes affaires en Bourse sous un gouvernement socialiste), les forts, les faibles, les entreprises nationalisées que ses adversaires s'apprêtent à brader aux enchères – « et

1. Le 4 janvier 1978 François Mitterrand dénonçait le rôle de Valéry Giscard d'Estaing dans la campagne législative : « Si le président entrait en campagne, il deviendrait un citoyen comme les autres... Il lui sera difficile d'apparaître comme un arbitre s'il s'emploie pendant deux mois à être partisan. »

qui peut acheter, le plus riche ou le moins riche ? ».

Le président a le socialisme œcuménique. Il serait faux de dire, explique-t-il, que le gouvernement Mauroy « a fait de grandes réformes mais une mauvaise gestion, et que le gouvernement Fabius a fait une bonne gestion mais pas de réformes ». En vérité, ajoute le président, « les grandes réformes ont permis la bonne gestion, et c'est la bonne gestion qui justifie les grandes réformes. Il y a donc eu continuité d'un gouvernement à l'autre ».

CQFD. Dans la salle, les militants et les sympathisants applaudissent. Quelques journalistes, sceptiques, se tapotent le menton. Ils ont tort : François Mitterrand est en train d'essayer les thèmes de sa future campagne présidentielle.

Chapitre 4

# FRANÇOIS-CHARLES DE GAULLE
(1981-1988)

Obsession ? Statue du Commandeur ? Référence ? Éternel revenant ? On ne sait. Le spectre de Charles de Gaulle ne cesse de hanter en France les allées du pouvoir.

Que l'hôte de l'Élysée se nomme Georges Pompidou, Valéry Giscard d'Estaing ou François Mitterrand, chacun de ses actes est mesuré à cette aune, avec une précision de greffier.

Qu'il parle ferme, les journalistes glosent aussitôt sur le ton gaullien qui fut le sien.

Qu'il prononce, en un lieu choisi, quelques mots supposés décisifs, les diplomates et ceux qui les observent sortent aussitôt de leurs cartons, à fins de comparaison, le discours de Phnom Penh et celui de Montréal où le président exalta le Québec libre.

Que, se rendant dans une obscure localité provinciale mais côtière, il célèbre ce « port de pêche qui entend bien le rester », et les Français s'extasient, rajeunis, le vague à l'âme – la nostalgie n'est plus ce qu'elle était.

Qu'il arrête, dans le secret de son bureau, une importante mesure, et voilà que la presse évoque – pour s'en réjouir ou le regretter – « l'exercice solitaire du pouvoir ».

Qu'il se mêle de déplacer trois virgules sur les tables de la loi constitutionnelle, et voilà qu'un chœur imposant exhale ses plaintes et ses regrets.

Qu'il modifie, serait-ce d'un pouce, la doctrine française en matière de dissuasion ou d'emploi de l'arme nucléaire tactique, et toute la classe politique assure que le Général s'est retourné dans sa tombe.

Qu'il médite quelque initiative paneuropéenne, dix vestales s'étranglent d'indignation, et dix autres l'accusent de trahison.

Comme si tout président n'avait qu'une alternative : imiter servilement l'homme du 18 Juin, ou le trahir.

Chacun pouvait imaginer, au printemps de 1981 qui fleurait si bon la rose, que François Mitterrand jouirait d'une dispense personnelle, d'un droit à l'erreur, ou à la déviation. Après tout, cet opposant de vingt ans avait assez écrit et proclamé que la Constitution de 1958 était le fruit d'amours illégitimes, le malheureux produit d'un viol de la loi républicaine. Or, le sortilège a perduré. Si le quatrième président de la Ve prend une heureuse initiative, on le juge gaullien. Et s'il trébuche on décrète que le trône de monarque républicain est trop vaste pour lui.

Un piège. Dans lequel François Mitterrand a donné tête baissée.

Les auditeurs de ses discours, les lecteurs de ses livres ou du journal qu'il tenait dans l'hebdomadaire socialiste *l'Unité,* ou encore les électeurs qui avaient reçu et parcouru ses professions de foi de candidat à l'Élysée, tous ceux-là pouvaient supposer que, d'entrée de jeu, il bousculerait les us et les coutumes, changerait les règles et les traditions, mettrait à bas le fameux triptyque institutions-défense-politique étrangère. Or, s'il ne s'est pas agenouillé avec un respect dévotieux devant ces trois icônes, il s'est gardé du moindre blasphème et du plus léger sacrilège. Et s'il leur a manqué de respect, ce fut dans le secret de son cœur. En cachette. Sans que personne, hormis peut-être quelque intime, en sût jamais rien.

# Les institutions

Hostile à la Constitution de 1958, blessé par les événements qui secouèrent cette année-là Alger et la France, François Mitterrand avait fait résolument campagne pour le « non » au référendum qui devait donner naissance à la Vᵉ République. Farouchement opposé à l'élection du président au suffrage universel, il fut au premier rang de ceux qui tentèrent de faire échouer cette réforme en 1962.

Comme rien n'est jamais simple, surtout avec lui. Opposant inflexible à ces conceptions et ces institutions, il contribua à les légitimer en jouant leur jeu.

En 1965 il se présente, contre Charles de Gaulle, à la première élection du chef de l'État au suffrage direct. Plus tard, il l'avouera : « Dès 1962, j'ai su que je serais un jour candidat [1]. » Il contribue donc à mettre en ballottage l'homme du 18 Juin [2] et se hisse presque à son niveau en rassemblant, au deuxième tour, plus de 45 % des suffrages. Ce qui fait osciller les gaullistes entre la fureur et la

1. In *Ma part de vérité*, éd. Fayard, 1970.
2. Interviewé par Christine Ockrent sur TF1 en octobre 1987, il réécrit l'Histoire à sa façon : « En 1965, le général de Gaulle m'a mis en ballottage. »

désespérance. Ils ont tort : le challenger est en train de décerner aux nouvelles institutions un brevet de républicanisme qu'un homme comme Pierre Mendès France refusera, jusqu'à sa mort, de signer.

Il est vrai que, tout juste remis de sa défaite, François Mitterrand accable de flèches son rival heureux. Sans excessif souci de nuances, bien entendu. C'est ainsi qu'il écrit : « J'appelle le régime gaulliste dictature parce que, tout compte fait, c'est à cela qu'il ressemble le plus, parce que c'est vers un renforcement du pouvoir personnel qu'inéluctablement il tend. »

Il ne va plus cesser, dès lors, de chanter le même psaume.

En 1969, Georges Pompidou succède au général de Gaulle à l'issue d'une compétition à laquelle, prudent et malin, François Mitterrand a refusé de se mêler. Il écrit : « Le président a le comportement d'un potentat commandé par son bon plaisir et d'un chef de clan qui ne connaît que ses affidés [1]. »

Dix ans plus tard, Valéry Giscard d'Estaing régnant, il s'écrie lors du débat budgétaire à l'Assemblée : « Est-il sûr qu'ils (les Français) aient désiré instituer un système uniquement fondé sur le bon vouloir et les décisions du chef de l'État, pouvoir démuni des contrepoids que ce type de régime comporte aux États-Unis d'Amérique, par exemple pouvoir qui se charge du tout et du reste, qui régente et qui tranche, qui bouscule ou ignore, qui se substitue au judiciaire ou au législatif, jouant habilement de l'un pour neutraliser l'autre ? »

Pourtant, qui étudie à la loupe ses dits et ses gestes ne peut manquer d'y déceler quelques évolutions et de sensibles nuances. Ainsi, lors de la signature du programme commun de la gauche, alors que le parti com-

1. In *la Paille et le Grain*, éd. Flammarion, 1981.

muniste souhaite imposer un changement total de la Constitution, il soutient qu'il faut seulement l'amender, supprimer l'article 16, qui accorde des pouvoirs consulaires au chef de l'État dans des circonstances exceptionnelles, et réduire à cinq ans la durée du mandat présidentiel.

A l'automne de 1980, six mois avant d'entrer à l'Élysée, et alors que les sondages prédisent la réélection du président sortant, il précise ainsi sa pensée au cours d'un entretien avec Guy Claisse [1] : « L'actuel président gomme les institutions, tire sur toutes les cordes, extrait des textes tout leur jus, crée un régime de fait qui n'a d'équivalent nulle part, un régime non dit où la démocratie formelle couvre une marchandise importée du bric-à-brac des dictatures sans qu'on puisse de bonne foi l'appeler dictature. »

Il définit le régime français comme un « système ambigu, douceâtre d'apparence, en vérité implacable, auquel il ne reste qu'à doubler la mise ou plus exactement le septennat pour qu'il prenne ce tour définitif, monarchie populaire et si peu populaire ».

Pour éviter pareille dérive, il préconise sa thérapeutique. « J'ai souhaité la réduction du mandat présidentiel à cinq ans. Je me demande maintenant si on ne devrait pas plutôt décider la non-rééligibilité au bout de sept ans ou une seule rééligibilité possible au terme de cinq ans... Si sept ans c'est trop long, alors quatorze ans ça l'est plus encore. Hypothèse d'école : si M. Giscard d'Estaing était réélu, et qu'il terminait son mandat, il disposerait d'une durée de pouvoir supérieure à celle de tous les dirigeants occidentaux exception faite de M. Kekkonen en Finlande, durée que n'atteignent en Europe que les archontes communistes. »

1. In *Ici et maintenant, op. cit.*

Six mois plus tard, le voilà qui entre à l'Élysée.

A peine connu le résultat de l'élection, le nouveau président prend bien soin de parler de son « septennat », façon d'avertir le bon peuple qu'il n'est plus question de raccourcir le mandat. L'ère Mitterrand doit être l'alliance du socialisme et de la durée. Lors de sa première conférence de presse, il est tout aise de raconter : « Comme je le disais à mes neuf partenaires de la CEE – absolument sans présomption, sans vanité – je leur disais, moi, j'ai sept ans. Et je n'ajoutais pas (je le dis simplement en confidence), lequel de vous pourrait en dire autant ? » Ainsi, brusquement, la réduction du mandat présidentiel, objet de toutes ses préoccupations avant mai 1981, cesse d'être d'actualité. Certes, lors de plusieurs interviews, le palais de l'Élysée admet qu'il faudra bien se résoudre, un jour ou l'autre, à enclencher la réforme. Sept ans, c'est trop long. Mais l'urgence ne lui paraît plus évidente. Après tout, ses prédécesseurs, Georges Pompidou et Valéry Giscard d'Estaing, avaient eux aussi résolument prôné la réduction du mandat présidentiel à cinq ans, avant d'y renoncer. Pourquoi se montrerait-il plus royaliste que les rois ?

Les rois ? Mais il se construit très vite, comme ses prédécesseurs, une théorie constitutionnelle qui le sert.

« Il y a, dit-il, l'usage, et le comportement. » Saluons, et savourons.

« Les institutions ? Je m'en accommode, puisqu'elles ont été acceptées par les Français, explique-t-il benoîtement [1]. Je les respecte. Il y a dans la Constitution des dispositions qui ne m'ont jamais plu et qui ne me plaisent pas davantage aujourd'hui. Mais réformer ne me paraît pas opportun. Ce n'est pas une préoccupation principale des Français. Ce n'est pas la mienne non plus. Je ne

1. In *Paris-Match,* mars 1984.

désire pas ajouter une cause de discorde à celles qui divisent déjà les Français. »

Les perspectives de révision s'évanouissent. Souvent, ce président plaisante devant les journalistes qu'il reçoit par petits groupes : « Les institutions ? Avant moi elles étaient dangereuses, après moi elles le redeviendront. » Sur son rocher de Solutré, en mai 1986 il montre qu'il y a définitivement renoncé.

« La Constitution n'a pas été parfaitement rédigée mais réformer c'est remuer une montagne. Je ne veux pas tordre les institutions et créer de grands débats dans ce pays parce que ça m'arrangerait. Ce qui n'est d'ailleurs pas dit ! »

Rarement président, il est vrai, ne parut plus à l'aise dans les costumes de ses devanciers. On eût dit qu'ils avaient été taillés à ses mesures. A tel point que Serge July, qui ne passe pas pour lui être foncièrement hostile, notera en 1985 : « Jusqu'à la nomination de Laurent Fabius François Mitterrand occupe tous les pouvoirs : président, ministre des Affaires étrangères, premier ministre de fait, secrétaire d'État à l'Industrie (lorsqu'il décide et annonce le nouveau plan sidérurgique), tout en restant le principal responsable du PS, puisque tous les hiérarques du parti sont reçus officiellement à l'Élysée plusieurs fois par semaine. »

Ce nouveau maître Jacques court du four au moulin, assume toutes les tâches (sinon toutes les responsabilités), imprime sa marque au moindre détail. Ainsi s'oppose-t-il à la baisse de rémunération du livret A de la Caisse d'épargne voulue par Jacques Delors; ainsi refuse-t-il le paiement par les malades, à concurrence de 20 %, des petits actes chirurgicaux, souhaité par Pierre Bérégovoy. Ainsi décide-t-il personnellement de l'attribution de la cinquième chaîne de télévision, sans appel d'offres, à Silvio Berlusconi et au fils de son ami Jean Riboud, malgré l'opposition de Jack Lang. Ainsi choisit-il lui-même l'architecte du Grand Louvre, décide-t-il de la forme et de la matière de la pyramide dont la maquette trône un temps dans son bureau.

Bref, ce monarque républicain ne le cède à ses prédécesseurs ni en volonté de pouvoir, ni en bienveillance à l'égard de sa cour et de ses courtisans. Et il se montre bien plus partisan. Qui aurait imaginé le général de Gaulle conviant tous les mardis matin au petit déjeuner, puis le mercredi à déjeuner, ces messieurs les gaullistes de l'UNR, puis de l'UDR ? Georges Pompidou lui-même se contentait de déjeuner une fois par mois avec les barons ses compagnons de route, et de convier les groupes de sa majorité à déjeuner à chaque ouverture de session parlementaire. Mais personne ne vit jamais le secrétaire général du parti gaulliste venir puiser des ordres à l'Élysée, alors que Lionel Jospin le fit chaque semaine. Et Valéry Giscard d'Estaing, à qui il arrivait de partager des œufs brouillés avec des éboueurs, se garda bien d'en faire autant avec ses affidés.

Or, dans les débuts du septennat Mitterrand, les invitations rituelles des camarades se firent même tri-hebdomadaires. Lionel Jospin ayant eu les honneurs du mardi matin, les principaux ministres mitterrandistes – mais seulement ceux des courants A et B, ne pas confondre – restaient à déjeuner après le Conseil du mercredi. Enfin, l'état-major du PS au grand complet se retrouvait autour du café au lait le jeudi.

Le rythme des agapes se ralentit après l'entrée de Laurent Fabius à Matignon. Mais il fallut attendre la cohabitation pour que le président cessât d'accueillir ses camarades du parti de manière institutionnelle.

« Tout être exerce toujours en totalité le pouvoir qui lui est donné. » Quand il était dans l'opposition, François Mitterrand aimait citer cette formule de Thucydide. Il eût pu la répéter quand le pouvoir lui échut. Il s'en garda bien. Il est vrai que les Français, qui raillaient volontiers Giscard d'Estaing, son style monarchique, et son souci de l'étiquette élyséenne, se montrèrent très indulgents pour son successeur, lui pardonnèrent ce que l'hebdomadaire *le Point* appelait dès 1981 la « sociale-monarchie », admettant qu'il se déplaçât – fût-ce privément – en empruntant d'abondance le Mystère 50 officiel, pour aller dîner à Venise, ou à Madrid. Quoi de plus gratifiant et de plus doux, en effet, qu'il amenât des amis choisis dans ses voyages lointains, qu'il chargeât un ami intime, Guy Penne, de ce domaine réservé entre tous qu'est pour un président de la République française les relations avec les États africains, et qu'il les confiât pour finir à son fils Jean-Christophe. Pour s'être présenté aux suffrages des électeurs d'un canton du Berry, Henri Giscard d'Estaing, dit Riton, dut subir mille brocards. Un monarque républicain ne peut pas tout se permettre. Un social-monarque a beaucoup plus de droits. Le népotisme est l'un des visages du socialisme à la française.

# La politique étrangère

Ils en sont tous frappés. Dès qu'ils s'installent à l'Élysée, les présidents de la Vᵉ succombent au syndrome de Metternich. Ils n'ont qu'une passion : la politique étrangère. François Mitterrand n'y échappe pas. Certains signes semblent même indiquer qu'il aura été plus atteint que ses prédécesseurs. D'emblée, tout chef d'État s'identifie presque charnellement au pays qu'il incarne. En 1981, François Mitterrand est persuadé, en outre, qu'il va rendre à la France un rang et une voix qu'elle avait perdus.

Le lot quotidien de cet opposant permanent avait été, pendant vingt-trois ans, de quadriller la France canton par canton. Surtout quand il fallut, dans les années soixante-dix, construire le PS. Si bien qu'il finissait par se sentir un peu à l'étroit à l'intérieur des frontières. Certes, il lui était arrivé souvent de rendre visite à un « parti frère » (de l'Internationale socialiste) ou d'accepter l'invitation d'un chef d'État prévoyant. Ainsi, en février 1981, s'était-il rendu en Chine populaire, ce qui lui permettait de s'épargner les risques et les périls d'une trop longue campagne présidentielle (à cette occasion, il avait appris du premier ministre Deng Xiaoping, que son nom,

Mitterrand, transcrit en idéogrammes, signifiait « Énigme tout à fait claire... »). Aussi l'éternel pèlerin de l'Hexagone n'est-il pas fâché après 1981 de sillonner les grands espaces et d'entrer dans le Club des Grands.

Cette scène internationale dont il découvre les tours et les détours l'enchante. Dès les premières conférences de presse, il s'attarde avec un évident bonheur à évoquer ses rencontres avec ses homologues étrangers. Il découvre la volupté de parler à la première personne, de dire « je » au nom de la France : « J'ai apprécié les indéniables qualités de Mme Thatcher... » « J'ai eu des entretiens avec plusieurs dirigeants de l'Alliance atlantique, notamment le président Ronald Reagan... » « J'ai reçu la proposition du prince Fahd... » « Je n'ai pas dissimulé mes inquiétudes au commandant Ortega du Nicaragua... » « Dès le mois qui a suivi mon arrivée à l'Élysée, j'ai exprimé au roi Hassan II le souhait de la France de le voir accepter l'autodétermination des anciennes possessions espagnoles du Sahara occidental par le moyen d'un référendum... » « J'ai dit aux dirigeants arabes que j'ai rencontrés et qui me comprenaient : " Vous êtes des gens d'honneur "... » « J'ai fait observer au colonel Kadhafi »... Et ainsi de suite...

Quand le général de Gaulle, Georges Pompidou ou Valéry Giscard d'Estaing éprouvaient les mêmes griseries, laissaient deviner combien ils aimaient donner leur visage à un État qui exigeait le respect. Quand – miracle – ils parvenaient parfois à se faire entendre des puissants de la terre et à infléchir si peu que ce soit l'ordre des choses, le leader de l'opposition ne leur épargnait jamais ses quolibets et les jugeait trop enivrés de leur importance.

Mais il a pris rapidement goût à cet opium des princes, la grande diplomatie. D'autant qu'il n'y fait pas mauvaise figure. Il s'aperçoit très vite qu'il n'est pas inférieur à ses interlocuteurs. « La certitude qu'il avait le droit, par ses qualités personnelles, de décider souverainement avec sa seule conscience et sa seule intelligence, pour juger en dernier ressort de ce qu'il devait accomplir, s'était trouvée renforcée par ses rencontres avec les chefs d'État étrangers, écrit l'un de ses proches [1]. Les conférences internationales, les tête-à-tête l'avaient convaincu qu'il les dominait intellectuellement. Il en avait tiré de la fierté pour lui-même certes, mais d'abord pour la France, persuadé qu'il devait beaucoup de ses capacités de synthèse et de clarté, qui l'imposaient dans les discussions, à la culture de son pays... Lorsqu'il téléphonait à un chef d'État étranger ou lorsqu'il devisait avec lui, la médiocre habileté de ses interlocuteurs le frappait. Il lui semblait parfois qu'il n'avait pas quitté le conseil général. Et pourtant la scène était désormais l'Europe ou le monde. Il avait ainsi acquis en quelques mois un orgueil qu'il ne pouvait complètement masquer même s'il s'efforçait de le faire derrière un visage impassible. Et les petites vulgarités de ses adversaires politiques quand il rentrait en France lui semblaient encore plus dérisoires et méprisables. »

D'où son ardeur à parcourir le monde, sa boulimie de voyages officiels. Hors de France, un président de la République est libéré de toute entrave partisane, parlementaire ou gouvernementale. Le temps de son voyage, il bénéficie d'une sorte de trêve implicite. Le temps de ses conversations et de ses négociations, il incarne le pays. Comme s'il donnait un one man show dans un no man's land.

François Mitterrand, d'ailleurs, adore les voyages aériens. Le « Concorde » le fascine; il l'utilisera beaucoup plus souvent que ses prédécesseurs. Serait-ce pour aller déjeuner à Washington avec Ronald Reagan et rentrer aussitôt à Paris, comme un PDG qui décide impromptu

1. D. Plutarque, *op. cit.*

d'organiser un repas d'affaires avec un partenaire entre deux réunions dans son bureau. C'est ce qui se produit le 12 mars 1982, comme le raconte Claude Estier[1] : « L'accord franco-soviétique sur l'achat de gaz en janvier 1982 et la participation des Européens au gazoduc eurosibérien déplaît souverainement à Washington. Au moment où il pense que la paix ne peut se construire que sur la fermeté, Ronald Reagan irrité écrit en février 1982 à deux reprises à François Mitterrand pour lui exprimer ses préoccupations. François Mitterrand n'a pas envie de répondre par écrit à ses lettres. Il ressent le besoin d'une explication avec l'hôte de la Maison-Blanche. Il lui téléphone et lui annonce tout de go qu'il viendra déjeuner le 12 mars 1982. Un peu surpris, Ronald Reagan répond OK. François Mitterrand fera dans la journée l'aller et retour Paris-Washington en Concorde[2] pour trois heures d'entretiens en la seule présence d'Alexander Haig et de Claude Cheysson, un interprète chuchotant la traduction. »

François Mitterrand prend tant de goût et de plaisir à ces rencontres qu'il va voyager plus qu'aucun autre avant lui, entraînant dans son sillage une cohorte d'amis choisis, de confidents sélectionnés ou de proches récompensés. En sept ans, il aura visité une soixantaine de pays. Valéry Giscard d'Estaing : trente-neuf. Une prouesse qui lui vaudra d'être surnommé de façon peu amène par Michel Poniatowski la « madone des aéroports ». Et s'il réalisait un rêve d'enfant ? Celui du petit garçon qui s'émerveillait jadis devant le planisphère. Mais aussi celui de l'adulte qui confessait un jour dans une chronique : « La géographie ? Ma passion, ma poésie. »

Un homme qui a souvent accompagné des premiers

1. Claude Estier et Véronique Neiertz, *Véridique Histoire d'un septennat peu ordinaire*, *op. cit.*
2. Spécialement affrété.

ministres et des présidents à travers le monde, Michel Jobert, écrit : « Les voyages sont les fêtes éphémères de la vanité et du conformisme... Je me demande à l'expérience si la véritable force ne serait pas de rester chez soi et d'avoir une politique claire et menée de main ferme. Toutes ces chatteries distribuées au gré de calendriers déjà surchargés ont-elles jamais changé une absence de politique en politique ? Et une détermination en un acquiescement de bonne compagnie ? Même des conversations au téléphone avec des chanceliers allemands ou des présidents américains participent à une agitation dérivant de l'actualité. Mais elles n'ont jamais modifié les orientations fondamentales des États-Unis ou de l'Allemagne [1]. »

Jugement trop sévère, à coup sûr. Une politique étrangère s'exprime aussi par des signes. Les citoyens, les nationaux et les étrangers doivent pouvoir la comprendre sans explications. Les voyages y aident.

La politique étrangère du général de Gaulle fut marquée par le retrait de l'Otan, la mise en œuvre du Marché commun, la rupture en 1967 avec Israël, qualifié de « peuple sûr de lui et dominateur » à l'époque de la guerre des Six Jours. Mais la réconciliation franco-allemande fut célébrée avec éclat par la tournée triomphale du président français en République fédérale. Et le discours prononcé dans le stade de Phnom Penh, le « Et vive le Québec libre ! » lancé du balcon de la mairie de Montréal auraient moins retenu l'attention s'ils avaient été dits lors d'une conférence de presse à Paris.

Les voyages peuvent aussi – il est vrai – provoquer de malencontreux chocs en retour. Valéry Giscard d'Estaing en sait quelque chose. Sa politique étrangère connut en maints domaines des résultats fort encourageants : création des grands sommets des pays industrialisés, conseils

1. In *Mémoires d'avenir*, éd. Grasset, 1974.

européens, élection au suffrage universel des députés à l'Assemblée européenne de Strasbourg, mise en place du système monétaire européen, raid réussi sur Kolwesi qui marquait la capacité de la France à intervenir en Afrique. Mais comment oublier sa rencontre avec Brejnev, à Varsovie, au lendemain de l'entrée des Soviétiques en Afghanistan, ou le geste pour le moins maladroit que fut le dépôt d'une gerbe au mausolée de Lénine par le président français, que les dirigeants de Moscou faisaient alors lanterner avant de le recevoir ?

François Mitterrand, amoureux des symboles, aura lui aussi apposé sa marque personnelle avec les discours prononcés, en septembre 1981 à Mexico (qui fut ensuite baptisé discours de Cancun), en mars 1982 devant la Knesseth israélienne, en janvier 1983 devant le Bundestag. Et aussi lorsqu'il évoqua le cas d'Andreï Sakharov dans les salons dorés du Kremlin.

Le voyage en Israël ne fut pas improvisé. Bien au contraire. François Mitterrand voulait être le premier président français à rendre visite à l'État d'Israël depuis sa fondation. Mais, sachant que ce rééquilibrage de la politique française au Moyen-Orient pouvait heurter les pays arabes, il prit ses précautions.

A peine entré à l'Élysée, il adresse des lettres personnelles aux chefs d'État de la région : Hussein de Jordanie, le roi Khaled d'Arabie saoudite, l'Irakien Saddam Hussein et le Syrien Hafez el-Assad. A tous, il dit désirer une paix durable au Moyen-Orient, ce qui suppose réunis deux principes : le droit de tous les États à des frontières sûres et reconnues, et celui des Palestiniens à une patrie.

Il envoie aussi son frère le général Mitterrand, alors président de la Snias [1] en Arabie Saoudite, et Claude

1. Aérospatiale.

Cheysson, le ministre des Relations extérieures, à Amman, Damas et Beyrouth où celui-ci rencontre Yasser Arafat. Claude de Kemoularia, un ami de longue date du président, alors membre de l'état-major de la Banque de Paris et des Pays-Bas (il sera nommé plus tard ambassadeur à l'Onu) se rend discrètement, lui, dans les émirats. Un chaleureux message est aussi envoyé au colonel Kadhafi, ce « chef de la grande révolution du 1er septembre ».

Tout est donc prêt pour le voyage en Israël, mais Menahem Begin ne va pas rendre les choses faciles. Des élections ont lieu dans l'État hébreu, les travaillistes sont battus (au grand dam des socialistes français) et Menahem Begin reconduit. Or, aussitôt réélu, le 7 juin 1981, il fait bombarder par son aviation le réacteur nucléaire que la France est en train de construire à Tamuz en Irak. Un technicien français est tué. Il devient donc impossible pour François Mitterrand de se rendre à Jérusalem. Paris condamne cet acte « inacceptable et grave ». Puis voilà que le 18 juillet, Beyrouth est bombardé par l'aviation israélienne : la France manifeste sa sympathie aux « populations innocentes ».

En décembre 1981, les choses semblent s'arranger : Claude Cheysson se rend à Jérusalem pour préparer la venue du président prévue pour les 10 et 11 février 1982. Mais, le ministre à peine rentré à Paris, Menahem Bégin décide d'annexer purement et simplement les hauteurs du Golan conquises sur la Syrie en 1967. Coïncidence, cette annexion intervient le jour même où l'état de guerre est proclamé en Pologne. Nouveau retard. François Mitterrand finit quand même par se rendre en Israël le 4 mars 1982 et, devant la Knesseth, revendique clairement, pour le peuple palestinien, le droit à une patrie, essentiellement un État. Il n'en définit pas tous les contours. Mais cela est dit. Et c'est sa marque.

Dès lors, il faut le noter, tous les chefs de l'opposition française vont chercher la première occasion de se rendre à Jérusalem. Giscard, Jacques Chirac, Raymond Barre... ils s'y rendent tous. Ce voyage est devenu un must, un point de passage obligé pour tout leader politique français qui se respecte... et cherche à recueillir des suffrages juifs. François Mitterrand a été un précurseur.

Un autre discours-symbole est prononcé en janvier 1983 devant le Bundestag. François Mitterrand plaide alors pour l'installation d'euromissiles sur le sol allemand. Il se montre beaucoup plus atlantiste que ses prédécesseurs, alors que son gouvernement compte des ministres communistes – ce qui renverse, à Washington et ailleurs, bien des idées reçues. D'autant que, dans le camp occidental, on a plutôt tendance à répéter alors « ni SS 20, ni Pershing ». Même si la France ne prend pas de grands risques en cette affaire – puisque Pershing et missiles de croisière doivent être installés hors de son territoire –, François Mitterrand montre, là encore, quelque audace. Et il prête main-forte au chancelier démocrate-chrétien Helmut Kohl, contre le socialiste Hans Vogel qui plaide contre le déploiement, contre les verts si puissants en Allemagne.

Le président souligne devant les parlementaires allemands que c'est la supériorité de l'armement soviétique – nucléaire et conventionnel – qui a conduit les États-Unis à mettre en place des systèmes avancés de défense. Il demande que « la détermination et la solidarité des membres de l'Otan soient clairement confirmées ». Il poursuit : « Quiconque ferait le pari sur le découplage entre le continent européen et le continent américain mettrait en cause l'équilibre des forces et donc le maintien de la paix. » Et il affirme que « les forces françaises ne peuvent être prises en compte dans les négociations de Genève entre les deux puissances surarmées ».

Ces propos résolus ne réjouissent pas seulement le chancelier Kohl : ils obligent l'opposition à applaudir. Car tous les leaders français disent – à peu près – la même chose. En voyage aux États-Unis, Jacques Chirac s'exclame lors d'une conférence à l'institut d'études stratégiques de Georgetown que « le lien entre la défense de l'Europe et celle des États-Unis doit être réaffirmé sans ambiguïté ». Raymond Barre sera moins enthousiaste; invité à l'émission *l'Heure de vérité* le 13 janvier 1983, il estime que « l'installation des Pershing en Allemagne fédérale est l'affaire de l'Otan ». L'ancien premier ministre craint qu'à terme, la France n'ait ainsi mis le doigt dans l'engrenage des négociations Est-Ouest. Ce qui aurait pour conséquence un dénucléarisation de l'Europe. Par ce discours, François Mitterrand conforte surtout la coopération franco-allemande. Quelques observateurs avaient pu penser que celle-ci connaîtrait des moments plus difficiles après la disparition du couple Helmut Schmidt-Valéry Giscard d'Estaing. Or, il devint évident qu'elle survit aux changements de personnes et de politique. Et même si la différence de taille entre les deux hommes [1] fait cruellement penser à celle qui existe entre les puissances économiques, le couple Kohl-Mitterrand est une réalité.

En juillet 1985, enfin, François Mitterrand prend une autre initiative – marquer de son empreinte la politique européenne : C'est le projet européen de technologie, appelé « Eurêka » et conçu comme une réplique à l'Initiative de défense stratégique de Ronald Reagan. Il s'agit d'éviter que les industries du vieux continent se bornent à être, en cette affaire aux retombées technologiques importantes, les simples sous-traitants des industries améri-

1. Surtout lorsqu'ils se donnent la main comme au cimetière de Verdun pour sceller à jamais l'amitié franco-allemande.

caines. L'écho recueilli est assez large puisque 18 pays – dont 6 n'appartenant pas à la CEE – s'associent à la proposition française. Et en septembre 1987, cinquante-six projets (dont vingt-trois avec participation de la France) ont reçu le label Eurêka... et les subventions correspondantes s'ils concernent l'industrie.

L'affaire Eurêka le montre : s'il entend porter bien haut l'étendard européen, François Mitterrand marque en même temps son indépendance à l'égard des États-Unis, et parfois ses réserves. Ce qui ne va pas toujours sans drames.

Ainsi, la signature du contrat gazier avec l'URSS en 1982 amène Ronald Reagan, nous l'avons vu à plusieurs reprises, à adresser à Paris des lettres courroucées. D'autant qu'à cette époque les suspicions de Washington sont grandes, à l'égard d'un gouvernement qui compte des ministres communistes.

Le malentendu transatlantique se poursuivra jusqu'au sommet de Versailles. Un véritable dialogue de sourds.

Quand François Mitterrand parle technologie et baisse des taux d'intérêt américains, Ronald Reagan rétorque : baisse des crédits à destination des Soviétiques. La déclaration finale de Versailles reflète l'absence d'accord véritable et l'opinion publique s'inquiète du contraste entre les fastes du congrès et la pauvreté du résultat. A quoi François Mitterrand rétorque, agacé : « Pour le faste, c'est à Louis XIV qu'il faut s'adresser. Bien recevoir et ne pas céder est conforme au tempérament français. »

Il s'ensuit un nouveau refroidissement des relations franco-américaines. Mais François Mitterrand ne cède pas aux pressions américaines. Avec raison : au moment même où Ronald Reagan semonçait les Européens, son pays signait des accords de vente de céréales aux Soviétiques.

La mort de Leonid Brejnev, en décembre 1982, contribue à changer les données. Le président américain, réaliste, envoie une missive au chef de l'État pour l'assurer qu'il respecte la souveraineté de la France. Et un mois plus tard, c'est le célèbre discours de François Mitterrand au Bundestag.

Dans toutes ces affaires européennes et atlantiques, un certain consensus se manifeste, à l'intérieur, entre le pouvoir socialiste et l'opposition. Mais on ne saurait parler d'un égal accord pour le troisième volet de la politique mitterrandienne, celui qui concerne le tiers monde.

Dans les premiers temps du septennat, en effet, le président socialiste rêve d'offrir une troisième voie à l'Amérique centrale prise en tenaille entre les dangereuses séductions soviétiques et l'interventionnisme, sinon l'impérialisme, américain. Mais rien n'est aisé. Pas plus dans l'Amérique centrale morcelée que dans l'Orient compliqué!

Les faveurs du pouvoir socialiste vont d'abord aux guérilleros du Salvador. Mais des élections aussi libres qu'il est possible dans un pays agité portent au pouvoir un démocrate-chrétien plutôt pro-américain, Napoleon Duarte. Il ne sera donc plus question du Salvador et, très rapidement, sous l'impulsion notamment de Mme Mitterrand, très active en ce domaine, les neuf dixièmes des crédits français aux pays d'Amérique centrale sont alloués au Nicaragua, aujourd'hui sous influence soviétique évidente. Et quand François Mitterrand s'en va, d'un coup d'aile de supersonique, prendre son déjeuner avec Ronald Reagan le 12 mars 1982, c'est aussi parce que celui-ci s'inquiète fort des ventes d'armes françaises au Nicaragua.

Mais la grande pensée des débuts du septennat, pour le dialogue Nord-Sud, est d'appuyer la politique française sur un tripode Mexico-Alger-New Delhi. Or, celui-ci n'existera jamais vraiment. La venue d'Indira Gandhi, en novembre 1981, se traduit par des accords commerciaux (l'équipement de 200 000 lignes téléphoniques, la vente de 40 Mirage 2 000, la fourniture d'uranium enrichi), mais n'a pas de véritable incidence politique. Le passage de François Mitterrand à Mexico n'aura pas de suite. Et le rapprochement avec l'Algérie, s'il amène ce pays à servir d'intermédiaire dans les tractations pour la libération des otages, se traduit surtout par le paiement au prix fort du gaz algérien importé.

Si le consensus relatif a fini par s'établir ainsi, sur la politique étrangère, entre François Mitterrand et l'opposition, on peut quand même s'interroger à partir de 1985, quand se profile l'éventualité de la cohabitation : que va-t-il se passer ? Le président va-t-il accepter de partager ce domaine où il s'est investi, plus qu'en tout autre, avec une évidente délectation ?

François Mitterrand a beau répéter sur tous les tons qu'il refuse de se placer dans l'hypothèse de l'échec, il multiplie très tôt les mises en garde. Dès juillet 1985, comme s'il pressentait neuf mois avant l'échec de la gauche aux législatives, il va prendre ses marques avec force au cours d'un déjeuner avec l'Association de la presse présidentielle, à Grenoble : « S'il y avait confiscation de la politique extérieure, ce serait un coup d'État. » Ce à quoi Jacques Chirac rétorque le 21 juillet à RMC : « On ne peut imaginer qu'un gouvernement issu d'une majorité voulue par le peuple n'ait pas en réalité le pouvoir d'assumer la politique sur laquelle cette majorité s'est engagée, notamment une politique étrangère et de défense. » Autrement dit, en cas de cohabitation, il n'y aura pas de domaine réservé.

Quinze jours plus tard, le 25 juillet, Roland Dumas, ministre des Relations extérieures, publie dans *le Monde* un article intitulé « La logique du consensus ». « D'ores et déjà, écrit-il, l'émergence progressive et profonde d'un consensus en politique étrangère participe de l'irréversible évolution des mentalités... Si des hommes politiques refusaient de tenir compte de cette évolution, ils courraient le risque de se mettre en porte à faux par rapport à l'opinion publique. » Ce qui peut se traduire plus simplement : « Touche pas à ma politique étrangère. » Roland Dumas, pour illustrer son propos, n'hésite pas à écrire que « personne de la gauche à la droite ne remet en cause la force de frappe », oubliant que si le consensus existe en cette matière c'est que la gauche s'est ralliée, quinze ans après, aux positions gaullistes.

En janvier 1986, trois mois avant les élections, François Mitterrand insiste à nouveau. Il publie vingt-cinq discours de politique étrangère précédés d'une longue préface sous le titre *Réflexions sur la politique extérieure de la France* [1]. Il s'agit de faire savoir à ses adversaires qu'il ne se laissera pas déposséder de ses prérogatives en la matière. A moi le domaine réservé.

D'ailleurs, ceux-ci n'ont rien à craindre. Ne se situe-t-il pas dans la continuité de ses prédécesseurs ? Ces textes, explique-t-il dans la préface, le prouvent : « On y relèvera à la fois la trace continue du sillon creusé par le destin millénaire de la plus ancienne nation d'Europe et la marque particulière qu'imprime à la vie d'un peuple celui qui le conduit. »

Mais ses adversaires, apparemment, ne trouvent pas dans sa politique la trace continue du sillon. Le giscardien Michel d'Ornano souligne avec quelque impertinence qu'après les élections il n'aura plus, en cette matière, « qu'un rôle subalterne, protocolaire ». Jean-François-Poncet, ancien ministre des Affaires étrangères de Valéry

1. Éd. Fayard, 1986.

Giscard d'Estaing, explique, lui, qu'au sommet des pays industrialisés à Tokyo, François Mitterrand aura des loisirs puisqu'il s'agira d'une réunion à dominante économique et que c'est le domaine propre du gouvernement.

Aussi, dès février, au cours d'un voyage dans la Nièvre, le président réplique : « Le premier ministre a une vocation éminente à participer à tout débat de politique étrangère aux côtés du président de la République. » Un « aux côtés » qui en dit long et prélude aux chamailleries, surtout protocolaires, entre Jacques Chirac et François Mitterrand lors des rencontres internationales qui succéderont au 16 mars. Mais qui reprend fidèlement la tradition gaulliste.

Un peu plus tard, l'expérience de la cohabitation étant largement engagée, Alain Duhamel demande au président, dans une interview pour *le Point* : « Dira-t-on que les gaullistes approuvent la politique étrangère de François Mitterrand ? » Et le président répond : « Qu'entendez-vous par gaullistes ? Nombreuses sont les variétés. Je connais des gaullistes qui le sont pour de bon. Des gaullistes qui ne le sont qu'à moitié, et des gaullistes qui ne le sont pas du tout. Ceux qui le sont pour de bon approuvent ma politique dans la mesure où elle continue (du moins dans mon esprit) celle du général de Gaulle. Ce qui arrive assez souvent. Épargnez-moi le jugement des autres. »

Il en est décidément arrivé à se voir comme un fidèle du Général.

## La défense

Le socialisme français a toujours été divisé, hésitant, sur les questions de défense, entre une tradition patriotique qui remonte aux jacobins et une tradition antimilitariste, plus récente, née à la fin du XIXe siècle dans les milieux syndicaux et anarcho-syndicalistes.

Avant 1914, les socialistes avaient organisé des manifestations contre la loi portant à trois ans la durée du service militaire. « Le capitalisme, disait Jean Jaurès, porte en lui la guerre, comme la nuée l'orage. » Lutter contre la guerre, c'était détruire le capitalisme au moment où il ne trouvait plus que cet ultime moyen pour survivre. Mais le même Jaurès ne rejetait pas, bien au contraire, l'idée d'une guerre défensive menée par la nation en armes. Et le cégétiste Léon Jouhaux, qui déclarait en 1912 : « Si la guerre est déclarée, nous refusons d'aller aux frontières », prononçait le 4 août 1914, sur la tombe de Jaurès, un discours intégrant les ouvriers, « soldats de la liberté », à la défense nationale.

En 1938, au congrès socialiste de Royan, Léon Blum s'était vu attaquer par les « pacifistes », partisans de la paix à n'importe quel prix conduits par Charles Spinasse, futur partisan de Vichy, qui lui reprochaient de les entraîner sur le chemin de la guerre. A quoi il répondait : « Pour éviter la guerre, il faut à certains moments accepter de courir ce risque de guerre. » Mais, pour préserver l'unité du parti, il avait dû accepter une formule nègre-blanc : « Le socialisme français désire la paix, même avec les puissances impériales totalitaires, mais il n'est pas disposé à céder à toutes leurs entreprises. »

Quelque vingt années plus tard, l'expédition de Suez, et plus encore l'intensification de la guerre d'Algérie menées par le socialiste Guy Mollet, alors président du Conseil (le garde des Sceaux de son gouvernement, ministre d'État, se nommait François Mitterrand) avaient déchiré le parti socialiste SFIO. Certains camarades en ont encore le rouge au front.

Lorsque le général de Gaulle décide de doter la France d'une force de frappe indépendante, ce qu'il reste de la SFIO désapprouve. François Mitterrand, qui ne fait pas encore partie de la famille, désapprouve tout autant. Il déclare à l'Assemblée nationale, dès 1964 : « Nous pensons que notre sécurité est dans la solidarité et dans l'arbitrage international... Nous vous disons que lancer à la jeunesse ce mot d'ordre, " à chacun ses frontières et à chacun sa bombe ", ce n'est pas le message de la France [1]. »

Il n'en démordra pas de sitôt. Candidat à l'Élysée l'année suivante, il explique : « L'isolement actuel de la France s'explique par la volonté du général de Gaulle de doter la France de la force de frappe atomique. » Une seule solution à ses yeux : arrêter les frais au plus tôt.

Cinq ans plus tard, il est encore sur la même ligne. Il confie à Alain Duhamel [2] : « Ce grand homme (de Gaulle) a regardé la bombe atomique comme il avait regardé les chars d'assaut en 1938. En officier qui se veut en avance

1. In *Politique 1, op. cit.*
2. In *Ma part de vérité, op. cit.*

d'une guerre. La première fois il avait raison, la deuxième fois il était en retard d'une stratégie et d'une morale. La sécurité, sur le thème à chacun sa bombe atomique, annonce la guerre certaine et la mort pour tous (...). Je connais l'argument gaulliste : l'équilibre de la terreur empêche la guerre. Il suffit au faible, dix mille fois plus faible que le fort, d'atteindre le seuil de la terreur pour qu'il soit préservé (...). Certains suggèrent le transfert de notre armement atomique au niveau européen quand l'Europe existera. Ce serait résoudre pour partie l'immense problème. » Il est urgent d'agir car, estime-t-il, « dans sept ans, l'armement atomique sera une réalité irréversible ».

L'année suivante, en 1971, il devient patron du PS. Il approuve alors « la constitution d'une force de dissuasion minimale capable de menacer tout adversaire éventuel ». Conversion ? Point encore. En 1972 en effet, les socialistes et les communistes signent ensemble le programme commun. Il faut bien s'accorder quelques concessions réciproques. La gauche unie « renonce à la force nucléaire française sous quelque forme que ce soit ».

Lors des négociations entre les deux partis, les communistes avaient proposé la destruction totale de la force de frappe (fusées, avions et sous-marins), mais François Mitterrand s'y était opposé, encourant illico les foudres de Georges Marchais qui dénonçait, avec son goût habituel pour la nuance, la soumission du premier secrétaire du PS « à l'impérialisme américain ».

Le dirigeant communiste, il est vrai, avait quelque raison de se méfier : les socialistes se préparaient – beaucoup sans le savoir – au virage. Depuis 1971 se tenaient de temps à autre au Commissariat à l'énergie atomique, à l'invitation d'André Giraud, des rencontres auxquelles participaient des hommes comme Michel Rocard, Charles Hernu, Jean-Pierre Chevènement et

Robert Pontillon. Le patron du CEA entendait les éclairer sur le nucléaire, qu'il soit militaire ou civil. En 1973, Charles Hernu fit publier dans *le Monde* un article retentissant intitulé : « Voilà pourquoi un socialiste doit être pour la dissuasion nucléaire. »

Un vrai missile dans le flanc des camarades si l'on peut dire. Et dont les retombées – verbales heureusement – furent multiples. Elles cachaient l'essentiel : une commission de réflexion sur ce problème créée au sein du PS avec la bénédiction du premier secrétaire. Lequel, un an plus tard, en janvier 1974, à quelques mois des présidentielles où il se portait candidat, déclarait néanmoins au cours de l'émission télévisée *Actuel 2* : « Je reste résolument hostile à la bombe atomique. » On ne saurait être plus net et clair. Jusqu'en 1977, la position officielle ne varie pas d'un pouce. Le programme commun l'a dit, et ses signataires le répètent : la gauche renonce à la force nucléaire française, et si elle arrivait au pouvoir, elle la conserverait en l'état, sans la développer, jusqu'au jour où, devenue tout à fait obsolète, elle mourrait de sa belle mort. Bref, c'est la dissuasion réduite aux acquêts. Mais l'observateur attentif peut discerner, derrière ces déclarations solennelles, des évolutions : au comité directeur du PS, le 7 novembre 1976, les trois rapporteurs désignés, Robert Pontillon, Jean-Pierre Chevènement et Charles Hernu, estiment que « la gauche au pouvoir devra tenir compte du fait nucléaire » afin de sauvegarder l' « autonomie de décision » de la France.

Le 11 mai 1977, patatras! Les communistes prennent leurs partenaires de vitesse. Le conseiller personnel de Georges Marchais, Jean Kanapa, affirme que l'armement nucléaire est le « seul moyen de dissuasion réel » au service de l'indépendance nationale et qu'il convient même de le perfectionner, compte tenu de la faiblesse française en armement conventionnel. L'effet produit au

PS est celui d'un Hiroshima idéologique. Émoi généralisé. Remue-méninges accéléré du haut en bas du parti où certains croient deviner, à l'origine de cette volte-face, la main de Moscou. Que dire ? Que faire ? François Mitterrand doit trancher. Il faut qu'il parle, il va parler. Il le fait quelques jours plus tard, dans une interview au *Point* : « Je suis de ceux, dit-il, qui se demandent si l'arme nucléaire n'est pas notre ligne Maginot. » Une peu flatteuse comparaison. Autrement dit, il ne croit toujours pas à l'efficacité de la dissuasion nucléaire. Que les communistes s'y rallient, c'est leur affaire. Mais on ne le verra pas changer de position pour autant.

Il le répète au mois d'août, ce qui aura pour effet de troubler les vacances de Georges Marchais. A cette époque, en effet, les deux partis (qui peuvent espérer l'emporter aux législatives de 1978) négocient pour réactualiser le programme commun. Or, dans une longue interview au *Matin,* François Mitterrand explique qu'il doute toujours, et préconise un référendum sur le nucléaire. Aux Français de dire quelle défense ils préfèrent. Rien ne serait plus démocratique. Seulement voilà : Georges Marchais, qui se fait alors bronzer en Corse, n'apprécie pas, mais pas du tout. « Quand j'ai entendu Mitterrand refuser de s'engager sur une défense nationale indépendante, j'ai dit à ma femme : " Liliane, fais les valises, on rentre à Paris; Mitterrand a décidé de rompre l'union. " » C'est ainsi que Liliane Marchais et ses valises entrèrent dans l'Histoire, tandis que le secrétaire général du PC se taillait une belle réputation de macho.

Le plus cocasse (ou le plus inquiétant, si l'on songe que le procédé est courant chez les communistes, qui l'utilisèrent dans des affaires bien plus dramatiques, comme les procès de Moscou) c'est que Georges Marchais reprochait en fait à François Mitterrand d'être resté fidèle au programme commun. Ce n'était pas (pas encore) le socialiste qui avait changé : c'était son accusateur. Mais celui-ci, bien décidé dès cette époque à rompre l'union de la gauche et à la faire échouer aux législatives, faisait feu de tout bois pour provoquer la brouille.

Bien entendu, la polémique enfle dès le retour à Paris de Liliane et Georges Marchais. Entre communistes et socialistes, mais aussi au sein du PS. Les socialistes doivent-ils se rallier à leur tour ? A bien considérer les déclarations de Kanapa, la reconnaissance de la force de frappe par les communistes est assortie de conditions qui ruinent son efficacité : engagement de ne jamais l'utiliser en premier – « Messieurs les Soviétiques, veuillez avoir l'extrême obligeance de tirer les premiers » – qui est la négation même du principe de dissuasion; renonciation expresse à la stratégie anti-cités [1], alors que l'URSS se garde bien d'en faire autant; obligation d'une concertation préalable avec le gouvernement, les chefs militaires, les leaders de parti, avant que le chef de l'État puisse « appuyer sur le bouton atomique ». Autrement dit, réunion d'un forum avant toute décision. Une plaisanterie.

Les 7 et 8 janvier 1978, se réunit une convention nationale du PS qui décide de rester, en gros, sur la ligne antérieure, celle de la dissuasion réduite aux acquêts : un gouvernement de gauche, dit le texte adopté, devrait renoncer à l'arme nucléaire française mais la conserver en état, dans l'attente du choix des Français [2] et du désarmement général pour lequel les socialistes lutteront, comme il se doit, vigoureusement. « C'est une synthèse de carton-pâte. Nous sommes au comble de l'ambiguïté et de l'incohérence », bouillonne Jean-Pierre Chevènement. On ne saurait mieux dire. D'autant que, dans les négociations pour la réactualisation du programme commun, les

1. Contre les agglomérations urbaines. La stratégie anti-forces, au contraire, se limite à des objectifs militaires.
2. Que l'on consultera par référendum.

socialistes acceptent une partie des suggestions communistes : « la décision de l'emploi de la dissuasion relèvera de la responsabilité présidentielle et gouvernementale ».

Mine de rien, pourtant, un grand pas a été franchi : aux yeux des socialistes, désormais, la force de frappe est tolérée, acceptée. En 1981, François Mitterrand expliquera : « Le ralliement du PS à la force de dissuasion nucléaire a été sans enthousiasme. Cela a été seulement un ralliement à la réalité de notre défense nationale. » Et ce ralliement est dû, en grande partie, aux communistes; leur machiavélisme ne leur a guère réussi. Cette évolution aboutira le 24 janvier 1981, au congrès extraordinaire de Créteil, où le PS adopte un « Manifeste », esquisse de programme de gouvernement, qui prévoit le « développement d'une stratégie autonome de dissuasion ».

1981. Tout change. Et d'abord le décor. Ah! Qu'il fait plaisir à regarder François Mitterrand lors de son premier 14 Juillet de président de la République! A le voir, assis très droit et le masque martial, on comprend d'emblée qu'il prend très à cœur son rôle constitutionnel de chef des armées. Mais seuls quelques fins observateurs notent que, pour marquer sa prééminence, il a fait placer son fauteuil deux mètres en avant de la rangée des officiels, alors que ses prédécesseurs se contentaient d'un léger décalage.

Debout aux côtés du président, le nouveau ministre de la Défense, Charles Hernu, rayonnant et concentré, se penche parfois vers lui pour lui donner, comme on susurre de tendres aveux, quelques détails sur les matériels ou les régiments qui passent. Une belle revue. Une belle armée.

Songe-t-il alors, le nouveau président, que pour cette armée-là les socialistes n'ont jamais voté le moindre centime depuis 1958? Dès les premiers jours de son installation à l'Élysée, François Mitterrand se présente comme le plus fidèle adepte, voire le grand prêtre de la plus pure doctrine gaulliste en matière de défense : elle est devenue, à ses yeux, « ce concept original et raisonnable qui rassemble à présent la majorité des Français ». Jamais, depuis le départ du général de Gaulle, le discours stratégique limitant l'utilisation de l'arme nucléaire aux cas d'attaque du seul sanctuaire national n'avait été plus orthodoxe. D'ailleurs, en septembre, le nouveau président approuve la mise en chantier du septième sous-marin nucléaire, décidée sous le septennat de son prédécesseur. Visiblement charmée, l'UDF va voter le budget de la défense, le premier à recueillir les voix socialistes depuis 1958.

François Mitterrand, qui réclamait voici peu la fin des expériences nucléaires, s'émeut désormais des campagnes qui sont menées contre elles. Et en avril 1983, il souligne à la télévision : « La pièce maîtresse de la dissuasion, c'est moi. » Ce qui est vrai. De Gaulle ne disait pas autre chose, et l'article 5 du décret du 19 juillet 1964 dispose que « l'engagement des forces nucléaires ne peut reposer que sur la décision d'un seul ». Mais il s'en trouve plus d'un, parmi les gaullistes et ailleurs, pour juger que le nouveau « président ne manque pas d'air ». D'autant qu'il a choisi la date du 14 juillet précédent pour faire entrer dans l'ordre de la Légion d'honneur la chanteuse Joan Baez, apôtre du pacifisme américain.

Quel est donc le vrai Mitterrand ? Celui qui juge « raisonnable » le concept de dissuasion nucléaire ou celui qui écrivait en 1967 : « On ne protège pas la paix, mais on l'expose au pire danger lorsqu'on fabrique des bombes atomiques et qu'on engage ainsi les autres à faire comme nous, c'est-à-dire à se lancer dans la course au bout de laquelle le monde périra » ? Celui qui préside, avec un bonheur gourmand, au défilé des troupes et des armes, ou celui qui décore Joan Baez ? La réponse est peut-être dans les chiffres : entre 1976 et 1981, les crédits d'équipement de la défense ont augmenté de 6,9 % en francs constants; entre 1981 et 1986, ils n'augmentent que de 1,9 %. Une des premières victimes de la politique de rigueur est le budget de la défense.

Une analyse plus fine montre que le pouvoir socialiste a choisi la voie médiane. Il n'a rompu ni avec les principes ni avec les orientations de l'héritage gaullien. Mais il en a ralenti l'application. Or les effets des investissements militaires n'apparaissent qu'une douzaine d'années plus tard. Ainsi, les missiles Exocet qui connurent la célébrité en faisant des ravages pendant la guerre des Malouines avaient été commandés à l'Industrie alors que Pierre Messmer était ministre du général de Gaulle. Si bien qu'un retard de commande peut passer inaperçu. Ce sont les successeurs qui héritent des brèches dans l'équipement militaire.

Le camouflage est une technique souvent utilisée dans les armées. Charles Hernu et ses amis n'en ignoraient rien : ils ont fait adopter une loi de programmation militaire comportant de lourds investissements mais beaucoup d'entre eux n'ont jamais été mis en œuvre. La commande de 30 avions Mirage 2000 prévue dans le budget 82 a été annulée dès l'automne. Le satellite d'observation militaire ne recevra pas un sou. Report sine die pour les avions radar Awacs dont la nécessité est reconnue. Report encore pour le programme de missiles SX (missiles stratégiques terrestres) dont on prolonge les études préliminaires. Quant au septième sous-marin nucléaire lanceur d'engins dont François Mitterrand avait confirmé (on l'a vu) la construction, celle-ci a été tellement retardée qu'il ne sera opérationnel que lorsque *le Redoutable,* le premier de notre flotte sous-marine nucléaire, sera obsolète. Il n'y aura donc jamais que six sous-marins français lanceurs d'engins en service simultanément.

Faute de dégager des crédits, on se soucie de la mise en scène : ainsi Paul Quilès (successeur de Charles Hernu après l'affaire Greenpeace) tient une conférence de presse pour présenter la maquette du futur porte-avions nucléaire *Richelieu* (qui sera rebaptisé *Charles de Gaulle,* par André Giraud). Il omet de préciser que les seuls crédits dégagés portent sur 3 % de la commande. Nous sommes en février 86, il est vrai. Ce sera aux successeurs de débourser le reste.

Mais on peut à bon droit parler de pérennité de la stratégie française. Si bien qu'André Giraud (qui ne s'imaginait pas, alors, devenir ministre de la Défense) écrit en ce même février 1986 dans *le Monde* : « La voie de la cohabitation n'est pas fermée, à condition de relever le niveau de nos forces armées, tant nucléaires que conventionnelles. »

Sitôt arrivé à Matignon, Jacques Chirac décide donc d'augmenter les crédits en faveur de la défense. Au terme de la Constitution, c'est lui qui peut en décider. Article 20 : « Le premier ministre dispose de la force armée (...). Il est responsable de la défense nationale et supplée, le cas échéant, le chef de l'État dans la présidence des comités de défense. » Article 21 : « La politique de défense est définie en Conseil des ministres. »

D'autres textes accordent au premier ministre des compétences importantes : « la direction générale et la direction militaire de la Défense » et « la coordination en matière de défense des départements ministériels ». Ils précisent aussi que « sous l'autorité du premier ministre, le ministre de la Défense est responsable de l'exécution de la politique militaire ».

L'intervention du premier ministre est donc tout à fait justifiée dès lors qu'il s'agit de décider du montant du budget ou de dire son mot quand il s'agit de stratégie.

Mais c'est en conseil de défense sous la présidence du

chef de l'État que sont arrêtées « les décisions en matière de direction générale de la défense » (article 7 de l'ordonnance du 7 janvier 1959). Et le rôle du président de la République s'est considérablement renforcé du fait nucléaire : ainsi, « le commandant des forces aériennes stratégiques est chargé des opérations de ses forces sur l'ordre d'engagement donné par le président ». C'est pourquoi un dispositif sophistiqué a été mis en place autour du PC « Jupiter » de l'Élysée, en liaison permanente avec le centre d'opérations de Taverny.

Tous les ingrédients sont donc réunis, on le voit, pour entraîner un conflit de cohabitation.

En avril 1964, alors que le général de Gaulle était hospitalisé à Cochin, François Mitterrand avait posé une question sur les pouvoirs du premier ministre en cette période de semi-vacance du pouvoir présidentiel. Et il avait cité, pour s'en offenser, deux déclarations de juristes gaullistes, le sénateur Marcel Prelot et René Capitant. Aux yeux du premier, sous la Ve République, « l'action du premier ministre est celle d'un administrateur en chef plutôt que d'un leader politique de la nation ». Aux yeux du second, « le premier ministre est le premier des collaborateurs du chef de l'État, une sorte de chef d'état-major civil ». Alors François Mitterrand de fustiger le « secteur réservé qui a fait passer indûment les affaires étrangères, la défense nationale (...) sous la gouverne directe du président de la République ».

Mais après mars 1986, c'est lui qui revendique haut et fort ces responsabilités en matière de relations internationales et de défense. Tandis que le 10 juillet, Jacques Chirac, en visite au camp de Suippes, déclare tout de go : « Premier ministre et, en tant que tel, responsable de la défense nationale, j'entends dans ce domaine, comme dans les autres, exercer pleinement le rôle qui est le mien. » L'un des premiers actes de son gouvernement est d'abroger la loi de programmation militaire de Charles Hernu. Elle sera remplacée par une nouvelle loi portant sur les années 87-91. Les crédits devront augmenter de 11 % la première année et de 6 % les années suivantes en francs constants. L'effort de défense reprend donc vigoureusement.

Le premier ministre entend aussi imprimer sa marque en matière de stratégie. Reçu à l'IHEDN (Institut des hautes études de la défense nationale) au mois de septembre 1986, il déclare [1] : « Si la survie de la nation se joue aux frontières du pays, sa sécurité, elle, se joue aux frontières de ses voisins. »

Parlant ainsi, Jacques Chirac se place consciemment au cœur même de la querelle stratégique numéro un : il s'agit de savoir si la France utilisera ses moyens nucléaires tactiques lorsque l'agression atteindra son territoire ou lorsque l'agresseur s'en prendra à l'Allemagne fédérale. « La France, dit aussi le premier ministre, entend être en mesure de délivrer à l'agresseur éventuel un avertissement nucléaire dont le lieu et le moment dépendront du déroulement du conflit. »

Cet « avertissement » aura pour objectif d'« adresser non seulement un signal sans équivoque à l'agresseur mais aussi d'enrayer la dynamique de l'agression ».

En clair, cela signifie que les missiles Hadès (mis en chantier alors que Charles Hernu était ministre de la Défense) seraient susceptibles d'être employés plus tôt dans le conflit, dans la mesure où leur allonge (400 km) leur permet de porter plus loin. Le champ de bataille se situant entre l'Elbe et le Rhin (ces deux fleuves symbolisant la distinction que Jacques Chirac établit entre les notions de sécurité, pour le premier, et de survie, pour le franchissement du second)...

1. Avant de prononcer son discours, Jacques Chirac l'a communiqué au président de la République.

Sacrilège! François Mitterrand y voit à tort l'esquisse d'un glissement doctrinal. En cas d'agression militaire contre l'Allemagne fédérale, la France devrait-elle participer au combat au moyen de ses seules forces classiques, la force d'action rapide (FAR) renforçant alors les forces allemandes sur le théâtre d'opérations? L'illustration de cette stratégie a été donnée avec les manœuvres conjointes franco-allemandes baptisées poétiquement (à moins que ce ne soit, involontairement, par dérision) « Moineau Hardi » et présidées par Helmut Kohl et François Mitterrand.

Le président va tirer prétexte de ce qui pourrait apparaître comme un changement dans la doctrine gaulliste pour reprendre l'initiative après six mois de silence. Il entend démontrer qu'il est le maître de la dissuasion et que rien ne saurait changer sans son accord.

« On ne peut séparer arbitrairement, explique le président, tel ou tel élément de la stratégie. » Parmi les moyens de celle-ci se trouvent les armes tactiques (missiles Pluton et demain Hadès) que les socialistes appellent préstratégiques pour bien démontrer qu'elles ne sont pas séparables de la force nucléaire stratégique. Elles font partie du tout-stratégique, elles ne peuvent être le prolongement d'une bataille classique ou conventionnelle.

François Mitterrand ne va donc pas tarder à réagir.

Le 13 octobre 1986, il se rend au camp de Caylus, près de Cahors, où s'entraîne la 11e division de parachutistes. L'ennui est que, même en ce lieu, les journalistes, nombreux, n'ont qu'une idée en tête, questionner le président – c'est déjà un rite – sur ses intentions pour avril 1988 : postulera-t-il un second mandat? Réponse : « Je ne suis pas candidat, je suis président de la République. Chaque fois que je réfléchis à cette affaire, tout m'invite à me dire : non, je ne serai pas candidat... J'aurai rempli ma fonction. Je ne pousse pas l'ambition à vouloir m'y installer à demeure mais... il reste dix-sept mois. »

Résultat : le lendemain il n'est bruit que de ces propos-là. Les socialistes sortent leurs Kleenex, la majorité se réjouit. Ce passionnant sujet occupe tout le microcosme et les réflexions du président sur la stratégie sont oubliées, voire ignorées. Les services de l'Élysée devront, trois jours durant, téléphoner sans relâche pour alerter les rédactions et souligner tout l'intérêt qui devrait être attaché aux pensées présidentielles sur les questions militaires.

Le chef de l'État avait lancé, il est vrai, des mises en garde d'importance. Le nouveau gouvernement voulait construire un nouveau missile sol-sol balistique, le S 4 (Charles Hernu l'avait déjà inscrit dans sa propre loi de programmation militaire sous l'appellation SX mais Paul Quilès avait suspendu le projet). Ce missile, dit « à déploiement aléatoire », est destiné à remplacer la composante terrestre, jugée à terme, dans les années 1995, vulnérable, par de nombreux experts : les fusées du plateau d'Albion, enterrées dans des silos. Ce lieu stratégique pourrait, en effet, selon les mêmes experts, être détruit par des frappes nucléaires précises. Pour éviter pareil risque, on envisage de construire des missiles mobiles, ce que signifient les mots « à déploiement aléatoire ». Les missiles de la nouvelle génération (aussi bien les SS 20 soviétiques que les Pershing 2 américains) sont conçus pour pouvoir se déplacer sur le territoire. Ce pourquoi on les baptise parfois – irrespectueusement – du nom de « missiles à roulettes ».

François Mitterrand s'y refuse. Un missile mobile, plaide-t-il, inquiéterait les populations, ce qui ferait le jeu des pacifistes. En outre, le financement des S 4 se ferait, explique-t-il, au détriment de la flotte de sous-marins nucléaires. Or, la force de dissuasion française a trois composantes : d'abord les sous-marins, ensuite, les missiles enterrés au plateau d'Albion, enfin, les Mirage IV. Mais pour le président, la priorité doit rester aux sous-marins, « la pointe de diamant de la dissuasion ». Quant aux craintes exprimées sur les fusées du plateau d'Albion, il ne veut pas en entendre parler. « M'objecter qu'Albion peut être détruit, fût-ce par des moyens conventionnels, reviendrait à dénier la stratégie de dissuasion. Chacun, chez nous et à l'extérieur, doit se convaincre qu'Albion attaqué, nous serions déjà dans la guerre. La dissuasion a pour objet de l'empêcher. Restons dans la logique de notre stratégie. »

Le débat s'instaurant sur la deuxième composante et sa mobilité éventuelle, le président veut laisser croire que le gouvernement a mis en deuxième priorité la modernisation de la force océanique stratégique (c'est-à-dire les sous-marins). Il en profite donc pour rappeler les priorités, alors que Jacques Chirac ne disait pas autre chose que lui à l'IHEDN. Ce que confirme la loi de programmation militaire qui prévoit le lancement d'un sous-marin d'une nouvelle génération. Mais belle manœuvre, l'Élysée fait savoir que le président a eu le dernier mot. Ce qu'il fera en expliquant à Alain Duhamel, dans une interview au *Point* : « Je ne me plains pas quand je vois le premier ministre, comme le faisaient ses prédécesseurs, développer avec beaucoup de dynamisme la politique qui me convient [1]. »

Mais la même loi de programmation prévoit aussi la préparation d'un missile balistique « léger » (terme pudique pour ne pas dire « mobile ») dont le mode de déploiement sera défini en 1988 (c'est-à-dire après l'élection présidentielle). Matignon peut donc souligner à son tour que le premier ministre n'a rien cédé lui non plus.

1. *Le Point,* 10 novembre 1986.

Personne ne perd la face, mais le président chef des armées a pu affirmer sa primauté.

Le débat stratégique est toujours prêt à renaître. On s'en aperçoit au début de décembre 87, quand Jacques Chirac, s'adressant aux nouveaux stagiaires de l'IHEDN, leur déclare : « Il ne peut y avoir une bataille d'Allemagne et une bataille de France... Qui peut douter désormais, dans l'hypothèse où la RFA serait victime d'une agression, que l'engagement de la France serait immédiat et sans réserve ? » Sans réserve : c'est-à-dire incluant au besoin le nucléaire. Et du côté de Matignon on souligne à l'intention des journalistes que le général de Gaulle, lui le premier, songeait à un « espace stratégique franco-allemand ».

Lionel Jospin, qui ne sait pas que le premier ministre a communiqué le texte de son discours au président avant de le prononcer, riposte aussitôt en estimant que Jacques Chirac s'est exprimé « de façon légère » sur « une question délicate qui n'est d'ailleurs pas de son ressort direct ». « Ne pas laisser le doute nécessaire, ajoute-t-il, est une faute non seulement contre l'esprit de dissuasion, mais peut-être même contre l'intérêt fondamental de la France. »

Une accusation grave et non fondée. Si le premier ministre a dit qu'il n'y aurait pas d'incertitude sur les engagements, il a en revanche maintenu la ligne qui laisse le président juge de décider du moment où les intérêts vitaux du pays sont en jeu.

D'ailleurs dans les jours qui suivent, aucun responsable socialiste ne reprend à son compte les critiques du premier secrétaire. Mieux, le président de la République, dans une interview à *l'Observateur,* reprend dans son esprit l'analyse faite par Jacques Chirac quelques jours auparavant.

Jean DANIEL. – Que signifient l'expression « espace stratégique commun » et la phrase de Jacques Chirac : « il ne peut y avoir une bataille d'Allemagne et une bataille de France » ?

François MITTERRAND. – Que la double alliance franco-allemande jouera quoi qu'il advienne.

J. D. – La France assurera donc la couverture nucléaire de l'Allemagne.

F. M. – C'est à l'Alliance atlantique que cette question se pose. Le président de la République n'en demeure pas moins juge du moment où l'agression contre l'Allemagne fédérale menacerait les intérêts vitaux de la France.

J. D. – Jacques Chirac vous avait-il consulté ?

F. M. – Il m'a soumis son texte quelques jours avant sa conférence.

J. D. – Certains disent que dans sa façon de s'exprimer il est allé plus loin que vous lors de votre visite de chef d'État en Allemagne.

F. M. – Il a dit, autrement, la même chose. Je viens de vous le rappeler.

J. D. – Comment la France et l'Allemagne fédérale agenceront leurs positions si la France doit se servir un jour de ses armes préstratégiques dont on sait qu'en raison de leur courte portée elles pourraient frapper l'Allemagne ?

F. M. – Ma réponse sera brève : l'ultime avertissement n'est pas le propre des armes à courte portée. Il n'y aura pas lieu de délivrer l'ultime avertissement sur le sol allemand.

Les propos tenus par le chef de l'État sur le même sujet quelques semaines plus tôt en Allemagne avaient laissé les observateurs perplexes. Le 19 novembre 1987, au château d'Augustusburg, il déclarait : « Rien ne permet d'affirmer que l'ultime avertissement de la France à l'agresseur serait nécessairement délivré sur le territoire allemand. »

Ce mot « nécessairement » laissait la porte ouverte à toutes les hypothèses. François Mitterrand a donc ajusté sa position.

En cette fin d'année 87, tout le monde est bien d'accord. On ne se chamaillera pas sur la défense de la France.

Le président de la République assume l'héritage gaullien dans sa totalité. En politique étrangère, en matière d'institutions. En matière de défense en se plaçant dans le droit fil de la dissuasion. A ceci près que le Général, pragmatique, aurait peut-être mûri des idées nouvelles aujourd'hui.

Pour l'Histoire, François Mitterrand sera-t-il un continuateur ?

En tout cas, il reste persuadé qu'élu président plus tôt, dans les années 60 par exemple, il eût pu faire mieux que lui.

La preuve : recevant à quelques jours des élections législatives de mars 86 l'équipe du mensuel *Globe* à l'Élysée, il se laisse aller à quelques confidences devant un brillant aréopage : Valérie Kapriski, le chanteur Renaud, François-Marie Banier. Le rédacteur en chef du journal, Georges-Marc Benamou, l'interroge alors :

– Faisons un peu de fiction, monsieur le Président, si vous aviez été élu en 65 ?

– Ce n'était pas possible, mais je vous écoute.

– Est-ce que Mai 68 aurait existé si vous aviez été élu ?

– Je ne voudrais pas paraître présomptueux. Je vous réponds avec précaution, mais je ne le pense pas. Mon élection aurait signifié, comme ça a été le cas en 1981, le réveil de l'espérance.

Chapitre 5

# FRANÇOIS L'ARBITRE

(mars 1986-décembre 1986)

## Drôle de drame

Dimanche 16 mars 1986. Tour unique (à la proportionnelle) des élections législatives. 15 millions d'électeurs français votent en faveur de la droite. 12 millions pour la gauche. Depuis 1968, jamais le rapport des forces n'a été aussi défavorable à celle-ci.

Curieusement, au parti socialiste, le soleil d'Austerlitz brille sur Waterloo, et ce jour de défaite est presque un moment de gloire. Dans l'hôtel de la rue Solférino, qui leur sert de quartier général, les socialistes trinquent le cœur à l'aise, amusés par le spectacle qu'offrent à la télévision leurs vainqueurs dépités. Ceux-ci ressemblent en effet à ces enfants dont on vient de crever le ballon et qui se présentent une ficelle à la main, le regard sidéré. Les socialistes rient comme des gamins qui ont fait une niche à leurs petits copains pendant la récré. Non sans raisons. Bonne blague faite à la droite, la proportionnelle a tenu en effet ses promesses. Elle a failli lui faire manquer la majorité absolue. Il s'en est fallu d'un rien : 4 sièges. Une bénédiction ce changement de scrutin de dernière heure. Et moral avec ça! Cette réforme figurait en bonne place dans les 110 propositions du candidat Mitterrand. Elle portait le dossard 47. Qui pourrait contester un tel respect des engagements?

Sans compter que ce nouveau scrutin accorde au Front national un groupe parlementaire (35 députés). Pour la première fois depuis trente ans, l'extrême droite revient au Palais-Bourbon.

La gauche se frotte les mains, elle vient de planter au flanc de la droite une flèche qui peut être mortelle. On s'embrasse presque dans les sections, on se console vite des défaites dans les permanences des candidats. C'est à peine si les ministres se rendent compte qu'ils ont quarante-huit heures pour plier bagage.

Adieu cocardes, adieu avions du GLAM, adieu tous les privilèges du pouvoir! Mais, peu importe. Pour l'instant, les camarades éprouvent l'étrange euphorie des accidentés de la route qui se retrouvent indemnes devant un véhicule broyé, et la vie devant eux. Avec 32 % des suffrages, le PS est un beau gaillard. Ses 212 députés vont peupler l'hémicycle, il caracole en tête de toutes les formations politiques : « Si l'on avait conservé l'ancienne loi électorale, nous aurions obtenu entre 125 et 130 élus », confesse Claude Estier [1].

Certes, en 1981, dans la foulée du succès de François Mitterrand à l'élection présidentielle, le parti socialiste avait atteint un record historique aux législatives en raflant 37 % des suffrages. Mais chacun savait bien qu'il s'agissait là d'un apogée exceptionnel, d'une prouesse unique : sous le choc de la victoire mitterrandienne, une fraction des électeurs conservateurs s'étaient abandonnés comme une femme résignée entre les bras du vainqueur, ou bien s'étaient désintéressés du vote. Passé le temps du désarroi, ceux-là n'allaient pas tarder à rejoindre les leurs.

32 % est donc un bon score. Et l'on peut comprendre qu'ayant craint le pire, les socialistes soient si frétillants

1. *Véridique Histoire d'un septennat peu ordinaire, op. cit.*

tandis que leurs vainqueurs connaissent un début de déprime !

Malgré la crise et le divorce PC-PS (à moins que ce ne soit grâce à lui), malgré le handicap inévitable que constitue l'exercice du pouvoir, le parti socialiste rassemble le tiers des électeurs français. Il stabilise son influence à un niveau tel qu'il demeure un pôle obligé pour de futurs rassemblements. En 1981, François Mitterrand prophétisait : « Quand nous aurons atteint 30 % et plus des suffrages, nous nous trouverons dans une situation chère aux politologues : une forte majorité relative produit un effet de polarisation au bénéfice du parti qui en dispose et lui donne une dimension nouvelle. Ce sera pour un deuxième temps [1]. »

Le deuxième temps, les y voilà. Le PS est battu, il n'est pas rejeté. Et surtout cette audience confirmée permet à son champion de demeurer en place : « avec moins de 30 % des voix, François Mitterrand n'aurait pas pu rester à l'Élysée », reconnaît Lionel Jospin. Avec 32 % des voix, le maintien du chef de l'État à son poste ne fait même pas débat.

Parmi les adversaires du président qui la veille encore demandaient son départ, forts de l'illusion qu'il ne représentait qu'un quart des Français, pas une voix ne s'élèvera après le 16 mars pour mettre en cause sa légitimité. Du coup, les socialistes adoptent le dogme barriste : tant que François Mitterrand demeure à l'Élysée, il ne saurait y avoir qu'une demi-alternance, donc qu'une demi-victoire de la droite. Tout pourrait continuer comme avant. Enfin, presque. Ce paradis artificiel va durer presque un mois. Trente jours pendant lesquels Jack Lang, omniprésent, continue d'exercer des fonctions désormais mythiques. Il est partout. Il complimente, il

1. In *Ici et maintenant*, *op. cit.*

encourage, il inaugure. Plus lucide, Édith Cresson fera cette confidence à son retour à la vie normale : « Je ne savais même plus prendre un taxi. » Mais c'est la déclaration-programme de Jacques Chirac à l'Assemblée nationale qui entraîne le retour des socialistes sur terre : ils découvrent que le pouvoir a changé de mains. « N'oublions pas, chers camarades, que nous avons perdu », leur rappelle Jean-Pierre Chevènement.

Un homme, pourtant, ne l'a pas oublié un instant. Tous les témoignages concordent : le plus triste des socialistes s'appelle François Mitterrand. De son extrême pâleur, les visiteurs admis à l'Élysée dès le lendemain du 16 mars sont impressionnés. Des semaines plus tard, ils se remémoreront leur effroi devant le visage présidentiel à l'ossature délicate, aux traits pincés, comme dessinés par Clouet, et son teint ivoire qui se minéralisait soudain. « Du marbre, disaient-ils ensuite, on aurait dit du marbre. » Dans leurs récits, certains évoquaient les masques si blêmes qu'on arbore à Venise. D'autres citaient les vers de Racine : « Quelle étrange pâleur de son teint tout à coup efface la couleur. »

De nouvelles rumeurs de maladie auraient pu comme en 1981 s'échapper vers la ville, si les proches, les collaborateurs et les intimes n'avaient su qu'il s'agissait là d'une particularité familiale. Il y a un teint Mitterrand comme il y a un nez Bourbon ou une lippe Habsbourg. Cet homme qui jamais ne prend le soleil, pas plus qu'il ne prise l'eau, est doté d'un curieux système vasculaire.

Maint interlocuteur a remarqué avec quelle promptitude la mine présidentielle suit le climat de l'instant. Hâve, elle l'est sous l'emprise de la fatigue, de la contrariété ou du courroux. La conversation tourne-t-elle de l'aigre au cordial, aussitôt la joue rosit, le trait se remplit, la ride s'efface, le souverain porte dix ans de moins.

A l'inverse, que le propos le hérisse ou que la situation l'exaspère, de la cire coule illico dans ses veines. La bouche s'escamote, les méplats des pommettes s'aiguisent et sur les joues s'organise en mille infimes ridules toute la géographie de l'auguste mécontentement. En un instant, l'homme mûr, subtil et prompt se métamorphose en un vieillard autoritaire et intraitable. Le visiteur se trouble. Dans l'entourage, les plus intrépides n'en mènent pas large. Jusqu'aux réunions de famille qui peuvent être gâchées par ces brusques tempêtes intérieures.

Devant l'orage, certains se recroquevillent, d'autres cherchent à détourner la foudre en parlant plus fort, ou en changeant brusquement le sujet de la conversation. Une anecdote, un bon mot suffisent parfois. Comme les primitifs qui cherchent à conjurer le sort, on multiplie les offrandes symboliques dans l'espoir de voir réapparaître les signes de la sérénité. En se demandant si, après tout, ces changements de ton et de couleur ne sont pas pour François Mitterrand une autre manière d'exercer son emprise, de manifester son autorité.

Un chef charismatique doit aussi savoir inspirer à son entourage une crainte quasi physique. Jadis, Georges Pompidou – en privé, la cordialité même – savait à l'occasion décocher un terrible regard qui pétrifiait le coupable ou l'importun. Les mercredis de grande ire, les ministres se tassaient sur leur siège comme des élèves pris en faute. Valéry Giscard d'Estaing, lui, manifestait son déplaisir par un brusque rétrécissement de la pupille. C'est l'œil tout entier qui rentrait dans l'orbite, comme pour signifier qu'il ne voulait plus voir l'intrus. Il signait ainsi les décrets de son mépris.

Mais en ce mois de mars 1986, la pâleur de François Mitterrand n'a rien de dominateur ni de volontaire. Un de ses lieutenants les plus proches le décrit « vidé de son pouvoir comme un organisme de son sang ».

Sa puissance l'abandonne, il juge le destin bien ingrat – « c'est dur, c'est dur », lâche-t-il plusieurs fois devant ses intimes. Il souffre, mais ne s'étonne guère : si la politique le trahit, l'Histoire l'intègre déjà. La vocation de la gauche n'est-elle pas, selon les augures, de gouverner la France par intervalles très espacés ? Elle est météore par nature. Éphémère.

Un an avant l'échec de 1986, il le savait tellement bien que, conversant avec son amie Marguerite Duras dans un de ces fameux dialogues – qui, selon leurs thuriféraires, mériteraient d'être représentés au théâtre de l'Odéon [1] –, il confiait : « Quand vous dites : " le côté clandestin de notre pouvoir ", je comprends : Ils sont là, ils ne devraient pas y être... Et puis c'est arrivé si rarement. Il faut songer que depuis la première révolution française, celle de 1789, la gauche n'a été au pouvoir que quatre fois. En 1848, quatre mois, en 1870, deux mois et à Paris seulement, c'était la Commune. »

Marguerite Duras : « Mais ça c'était incomparablement sublime. »

François Mitterrand : « En 1936, un an et en 1981. Donc on peut dire que depuis 1789 et les années qui ont suivi, le premier gouvernement de la gauche qui ait gouverné durablement, c'est le nôtre. La première fois en deux cents ans [2]. »

Une prouesse peut-être, mais un échec tout de même. Électoral, stratégique, idéologique, donc personnel. D'autant qu'il s'était ostensiblement engagé dans la campagne. Deux fois, de manière solennelle et symbolique, dans les villes dont ses deux premiers ministres successifs

1. Une idée, paraît-il, de Roland Dumas, abandonnée depuis. Interrogé sur ce projet, François Mitterrand avait eu ce commentaire : « Nos propos, ce ne sont pas des pépites de diamant, mais après tout, les entretiens de Pascal et Descartes ont bien été joués au théâtre. »
2. In *l'Autre Journal,* 1986.

sont les magistrats municipaux, il avait lancé cette proclamation : « J'assume la responsabilité de ce qui a été accompli. J'estime qu'il y va de la dignité du chef de l'État d'être profondément solidaire des grandes actions, de l'essentiel, qu'elles aient réussi ou qu'elles aient moins réussi. »

Deux mois avant le tour unique de l'élection, il s'était inquiété : « Quoi ! la durée serait-elle interdite aux responsables de la France, qui ont été au fond les premiers à engager la reconquête des temps modernes, et l'on voudrait qu'en quatre ans on apporte déjà toutes les moissons des moissons engrangées ? [1] »

Plus tard, il faisait annoncer par son entourage que « si la défaite de la gauche s'avérait trop rude, il ne pourrait pas rester à l'Élysée ». La version mitterrandienne du « moi ou le chaos » qu'il reprochait tant jadis au général de Gaulle. Mais cette dramatisation de dernière heure n'a rien changé à l'épilogue.

Il n'a pas tout perdu pourtant, on l'a vu. Depuis un semestre, son objectif secret – son ami Claude Estier le révèle – était d'empêcher à tout prix le RPR d'atteindre à lui seul la majorité des sièges à l'Assemblée nationale, comme le régime électoral antérieur aurait pu le lui laisser espérer. Mission accomplie. Grâce à la proportionnelle, le stratège de l'Élysée a placé au but son missile Exocet. La nouvelle majorité arrive au port à grand-peine, le flanc déchiré par les voies d'eau provoquées par le Front national. Chez les socialistes la révérence est donc au plus haut. Les tours de magie de « Tonton » ont tiré d'affaire la famille. De qui d'autre pourrait demain venir le salut sinon de François Mitterrand le héros ? Le doute, qui s'était largement installé les deux dernières années chez les plus socialistes, s'évanouit. Ils retrouvent avec allé-

1. Discours du Grand-Quevilly, 17 janvier 1986.

gresse les voies du culte mitterrandien. Et les Français qui aiment bien les vaincus valeureux (comme Poulidor, ou l'équipe de Saint-Étienne défilant triomphalement sur les Champs-Élysées après un échec en finale de coupe) exultent presque. Plutôt fiers d'avoir porté à la tête de l'État un tel animal politique. Dès ce jour, les sondages de popularité marquent un brusque bond en avant. Ce que les urnes viennent de refuser à François Mitterrand, les sondages le lui promettent désormais.

De quoi faire rosir de plaisir l'heureux bénéficiaire. Mais non. Dans son palais soudain silencieux – « On aurait dit le château de la belle au bois dormant », commente un de ses collaborateurs –, le président est malheureux. Si sa vanité peut se satisfaire de ces bonheurs manœuvriers, son orgueil ne peut qu'être blessé. François Mitterrand a toujours eu l'ambition plus haute que son fauteuil. Et le quinquennat s'achève par un dessaisissement des affaires. Mais pour avoir si longtemps guerroyé, plus qu'un autre il le sait : n'est vaincu que celui qui s'avoue vaincu. Il lui reste deux ans pour faire jaillir sa vérité et reconquérir les Français. Il va s'y employer.

# L'arbitre

16 mars 1986. Rome n'est plus dans Rome ni le pouvoir en ses palais. Situation inédite. Les prédécesseurs de François Mitterrand avaient frôlé la défaite aux législatives, mais sans la connaître. En 1967, il s'en était fallu de trois sièges – un rien. En 1978, Valéry Giscard d'Estaing croyait tant à la victoire de la gauche qu'il avait résolu de s'installer à Rambouillet afin de marquer sa distance vis-à-vis du nouveau gouvernement et d'incarner l'exil intérieur.

Cette fois, l'éventualité est devenue réalité. Pour la première fois dans l'histoire de la Vᵉ République, un président en exercice perd la majorité aux législatives et, du même coup, la réalité de ses prérogatives. Sa légitimité demeure, mais une nouvelle légitimité apparaît, celle du gouvernement issu des élections. François Mitterrand innove donc. Malgré lui.

Un seul de ses conseillers, le plus proche peut-être, lui conseille le départ : Jacques Attali, obsédé par l'image que l'Histoire retiendra de son président, s'effraie de la voir tachée, déchirée : « Ils vont défaire, dit-il, tout ce que vous aurez construit. Votre maintien à l'Élysée sera interprété comme une caution donnée à l'adversaire. Vous y perdrez votre âme, donc votre gloire. »

François Mitterrand ne l'écoute pas. Quarante ans d'une vie politique secouée par tant de traverses lui ont appris la relativité des revers et la mansuétude du temps. Plus que d'autres, il sait que le peuple français, éternel mécontent et volontiers frondeur, présente une qualité inestimable : il peut tout oublier, il est sans mémoire. Aux États-Unis, Richard Nixon ne s'est jamais remis du scandale du Watergate. En France, un Watergate serait passé par pertes et profits en moins de quatre saisons. Alors, une défaite électorale...

Rien n'est donc jamais perdu pour qui montre obstination et opiniâtreté, patience et sens de la durée, savoir-faire et faire-savoir. Toutes qualités apparemment inscrites dans le patrimoine génétique du chef de l'État. Et puisque les Français ont voulu ou accepté la cohabitation, un mariage forcé qui semble inspiré du plus mauvais théâtre boulevardier, ils vont l'avoir.

Dès le 17 mars, François Mitterrand renonce à finasser. Le RPR étant le premier parti de la nouvelle majorité, son chef ira à Matignon. Pas question de ruser avec le suffrage universel en appelant Chaban, Giscard, ou Simone Veil. Les contacts officieux, antérieurs et fort récents entretenus avec eux par l'Élysée, n'avaient qu'un but : faire jaser le microcosme, brouiller les cartes, à tout hasard. Le verdict est tombé, François Mitterrand l'entérine, si rude soit-il.

Dès le lendemain, à la télévision, l'œil brillant d'impérieuse insatisfaction, il en tire les conséquences. Certes, il prend bien soin de signaler d'abord combien la victoire de la droite est limitée et d'affirmer que la majorité sortante peut être fière de son œuvre : « Elle laisse la France en bon état. » Mais, beau joueur, il s'empresse d'ajouter : « Je forme des vœux pour que la nouvelle majorité réussisse dans l'action qu'elle est maintenant en mesure d'entreprendre selon les vues qui sont les siennes. »

Reste à fixer les règles du nouveau jeu.

« Quant à moi, dans la charge que vous m'avez confiée et que j'exerce, je m'attacherai à défendre partout à l'intérieur comme à l'extérieur nos libertés et notre indépendance, notre engagement dans l'Europe et dans le monde. »

On saura bientôt ce que signifie cette définition plus solennelle qu'explicite.

Les Français, en tout cas, sont ravis. Tout un long trimestre ils vont se shooter à la cohabitation. Celle-ci connaît son état de grâce. En juin, 72 % d'entre eux disent espérer que le couple Mitterrand-Chirac tiendra jusqu'en 1988. Et si, par bonheur, des enfants naissaient de cette union, les citoyens se rendraient au baptême avec des cornets de dragées : 51 % jugent en effet qu'il s'agit là d'une période très positive.

Bref, un vieux rêve ressuscite sur le thème : « Si tous les hommes politiques voulaient se donner la main... » Les Gaulois, batailleurs, adorent les trêves illusoires. Pendant les années d'occupation, le mythe de l'alliance secrète entre de Gaulle, le glaive, et Pétain, le bouclier, avait ainsi nourri des espérances folles. Après tout, la cohabitation en 1917 de deux ennemis jurés, Raymond Poincaré, président de la République, et Georges Clemenceau, président du Conseil, n'avait-elle pas hâté la victoire et triomphé du kaiser ?

En 1986, la réunion au sommet de François Mitterrand et de Jacques Chirac, respectivement les symboles de la France de gauche et de la France de droite, allait enfin concrétiser le songe obsessionnel giscardien : rassembler deux Français sur trois. Beaucoup, en tout cas, l'espéraient.

Ce n'était, hélas, que chimère. Quelques semaines suffirent pour le vérifier.

Symbole premier et très éclairant : François Mitterrand

refuse de poser pour la rituelle photo de famille sur le perron qui fait face au parc de l'Élysée. Façon de bien signifier qu'il ne conviendrait pas de mélanger les torchons et les serviettes : ce gouvernement n'est pas le sien, sa politique n'est pas la sienne. La coexistence n'est pas l'union nationale. On s'en tiendra à la collaboration minimale imposée par la Constitution, et à la courtoisie compassée que veut le protocole. Une seule question se pose dès lors : qui, dans ce couple mal assorti, va prendre l'avantage sur l'autre et tirer du feu le plus grand nombre de marrons ?

François Mitterrand n'est pas pris au dépourvu. Il y réfléchit depuis près de deux ans. Au fond, c'est un problème qu'il connaît bien, puisque le suffrage universel l'a plusieurs fois recalé : comment gérer une défaite et la convertir en victoire ultérieure ? Mais les circonstances diffèrent, et la question peut s'énoncer autrement : après avoir été le président du peuple de gauche, puis le président de la modernisation, quel nouveau rôle doit-il inventer pour rallonger d'un paragraphe son chapitre dans le grand livre de l'histoire de France ?

Certes, il a perdu le contrôle et la conduite des affaires. L'article 20 de la Constitution (jamais appliqué jusque-là) le lui signifie avec sévérité : « Le gouvernement détermine et conduit la politique de la nation. » Mais il ne manque pas d'atouts. Le texte constitutionnel lui en fournit. Et puis on n'est jamais assez prévoyant : en plein mois d'août 1985 (le 6), alors que les Français sont sur les plages et l'opposition en veilleuse, il a fait allonger en Conseil des ministres la liste des nominations civiles et militaires pour lesquelles sa signature est requise (165 en plus). Il se donne ainsi une monnaie d'échange pour ses négociations avec le futur chef du gouvernement.

Passé les premiers moments d'inévitable mélancolie ou de rancœur, il mesure les avantages de son revers. Il échappera aux aléas du quotidien et à l'impopularité qu'ils provoquent. Il confie bientôt à ses proches : « L'article 20 que brandit Jacques Chirac, mais c'est ma protection! » S'il perd droit de vie et de mort sur le gouvernement, si, ayant nommé Jacques Chirac, il ne peut le contraindre à démissionner, quelques moyens – à hauts risques il est vrai – lui sont offerts pour mettre un terme à la cohabitation si celle-ci lui devenait trop insupportable. Par exemple en dissolvant l'Assemblée nationale : une hypothèse hasardeuse dans l'immédiat, mais une arme à garder en réserve pour le cas où. Il pourrait aussi démissionner. Il abandonnerait alors l'Élysée au président du Sénat Alain Poher, tandis que Chirac demeurerait à Matignon et Charles Pasqua place Beauvau. Autant dire qu'il faudrait beaucoup d'innocence pour engager une bataille à mains nues face à des adversaires installés dans des positions stratégiques. Pourtant, le Landerneau politique bruira sporadiquement de petits chuchotements savamment distillés et entretenus pour accréditer ce cocasse scénario. Et intoxiquer, s'il se peut, l'adversaire. A toutes fins.

Jacques Chirac, de son côté, peut aussi brandir la menace d'un départ fracassant. Mais puisqu'il a déjà joué sur ce registre-là en 1976, il pourrait difficilement postuler pour l'Élysée en manifestant une si fâcheuse propension à abandonner les palais officiels après les avoir enlevés de haute lutte. Surtout – cette raison-là suffit amplement – François Mitterrand nommerait alors un autre premier ministre.

Bref, les chaînes de la cohabitation sont beaucoup plus contraignantes que celles d'un mariage ordinaire. Élections anticipées et démission ne sont que trompe-l'œil et leurre. Élu pour sept ans, François Mitterrand entend bien achever son mandat. Pour en avoir éprouvé d'abondance les humeurs changeantes, il fait confiance aux

Français : l'heure des comptes au solde négatif viendra vite. Le gouvernement Chirac connaîtra bientôt l'état de disgrâce. L'instant exquis de la revanche est déjà inscrit dans le livre de l'Histoire. Ce n'est qu'une question de patience. En attendant, il suffit de montrer belle figure.

Tout y invite François Mitterrand. S'il a perdu la substance du pouvoir, il en conserve les apparences. Il occupe toujours son palais doré, il incarne la France, l'État, la République. Nul n'a le droit de le lui contester, et nul ne le lui conteste.

De ce privilège il entend faire grand usage. Que M. Chirac s'occupe donc de l'intendance. Le président, lui, s'activera sur la noble scène du théâtre international.

La Constitution, il est vrai, ne lui en donne pas le privilège exclusif. « Le président, dit son article 52, négocie et ratifie les traités. Il est informé de toute négociation tendant à la conclusion d'un accord international... » Il n'est point nécessaire d'avoir appris le droit constitutionnel pour comprendre que si le président est « informé », c'est qu'un autre personnage est autorisé à prendre des intiatives et à agir. Or, les gaullistes, à la suite du Général, ont fait litière de ces dispositions depuis vingt ans. Ce que François Mitterrand leur a toujours reproché, soutenant qu'il n'existait pas de domaine réservé.

Depuis deux ans, pourtant, il s'est dit que si, par malheur, il lui fallait cohabiter avec un gouvernement de droite, l'existence d'un tel domaine réservé, l'affirmation de sa prééminence en matière de politique étrangère lui seraient bien utiles. Il s'est donc fait gaulliste, on l'a vu au chapitre précédent, au moins en ce domaine. Sa doctrine constitutionnelle a varié avec les circonstances. Plus gaulliste que lui...

L'ennui, le paradoxe est que Jacques Chirac, gaulliste estampillé, fait le chemin inverse. A situation nouvelle lecture nouvelle de la Constitution. Le premier ministre veut désormais toute la Constitution, rien que la Constitution. Aussi a peine arrivé à Matignon, se met-il à galoper, tel un alezan effronté, à travers les chasses gardées présidentielles.

D'abord, il annonce qu'il se rendra au sommet des grands pays industrialisés à Tokyo. Commence un cauchemar pour le Gaikoguirei (protocole japonais), qui ne sait plus comment résoudre les dramatiques questions de préséance : qui assistera aux dîners ? aux petits déjeuners ? Qui tiendra les conférences de presse ? Le protocole français n'est pas plus rassuré : exclu que le président et le premier ministre empruntent le même avion et assistent aux mêmes repas. Discussions, réflexions, débats, branle-bas : on finit par s'accorder. François Mitterrand partira le premier en Concorde, et abandonnera à Jacques Chirac un autre avion du GLAM [1]. Mais le premier ministre fait savoir qu'il empruntera volontiers l'avion de ligne par souci d'économie. Si bien que, le décalage horaire aidant, Jacques Chirac n'arrivera à Tokyo que le deuxième jour du sommet. Ainsi n'aura-t-il pas à ronger son frein à l'hôtel pendant que François Mitterrand assistera au dîner officiel des chefs d'État et de gouvernement. Mais il accompagnera le président lors de sa visite privée à Ronald Reagan. On finit, en outre, par échanger un petit déjeuner du premier ministre avec les chefs d'État contre son absence sur la traditionnelle photo de groupe de fin de sommet. François Mitterrand tient la conférence de presse et Jacques Chirac assiste à l'exercice assis sur une chaise dans la salle. Le président souligne que la France ne parle que d'une seule voix, mais ensuite le service de presse de l'Élysée précise que tout avait été préparé, signé, décidé avant que Jacques Chirac n'arrive, et que celui-ci a joué les inspecteurs des travaux finis.

1. Groupe des liaisons aériennes ministérielles.

Enfantillage ? Voire. L'enjeu est de taille. Il s'agit de savoir qui conduit la politique étrangère. Or, le premier ministre a toujours manifesté beaucoup de goût pour les rencontres internationales. Et, de retour aux affaires, il entend bien reprendre en main l'héritage gaulliste, et y ajouter sa touche personnelle, ce qu'autorise le texte de la Constitution, sinon la tradition. En moins d'un mois, on le voit dîner à Abidjan avec son vieil ami Houphouët-Boigny qui lui réserve un accueil de chef d'État, ce qui fait toujours bon effet à la télévision. Tradition oblige, il a emmené avec lui son conseiller Jacques Foccart, soixante-treize ans. Il va également prendre un lunch avec Margaret Thatcher à Londres, souper à Milan avec Bettino Craxi; rencontrer impromptu Helmut Kohl à Bonn huit jours seulement avant la visite de François Mitterrand.

Il prend également en main les relations avec l'Iran : on remboursera à ce pays le milliard de francs prêté en 1975 par le shah pour la société Eurodif : une tentative pour récupérer les otages français. Le 23 avril, lors de l'émission *l'Heure de vérité,* le premier ministre se dit « obsédé » par cette affaire. Lorsque le 10 mars, déjà, il préconisait un retrait des forces françaises du Liban, n'était-ce pas pour répondre aux demandes des hesbollahs, qui réclament toujours la fin de l'ingérence française, et satisfaire le président syrien qui souhaite voir les représentations étrangères, civiles ou militaires, quitter Beyrouth. D'ailleurs très peu de temps après son arrivée à Matignon, Jacques Chirac fait dire au président syrien Hafez el-Assad qu'aucune solution ne saurait se dessiner au Liban sans le concours de la Syrie, laquelle pourrait servir de médiateur dans l'affaire des otages. L'Élysée ne peut qu'approuver, tout en commençant à penser que, décidément, ce Chirac en fait beaucoup.

Or, il continue. Lors de la même émission télévisée, il

revendique pour lui seul la responsabilité du refus du survol du territoire français par les avions américains partis d'Angleterre pour bombarder la Libye de Kadhafi : « Sur cette décision que j'ai prise, dit-il, le président a eu la même réaction que moi. »

Fureur à l'Élysée. Mais enfin, qui commande? En vérité, ce qu'a dit Jacques Chirac n'avait qu'un but : couper l'herbe sous les pieds du président.

A Matignon on répond benoîtement que lutter contre le terrorisme c'est prendre des mesures concrètes sur le plan national et international et que seul le premier ministre peut choisir les plus efficaces. Et l'on souligne, à l'appui de cette thèse, que si Jacques Chirac est allé rencontrer ses homologues britannique et italien c'était évidemment pour définir avec eux une position commune sur ce sujet avant le sommet de Tokyo.

En vérité, qui donc a décidé de refuser le survol aux avions américains? Dans un premier temps, on affirme de part et d'autre que cette position a été arrêtée en commun, en parfaite identité de vues. Une belle unanimité qui ne durera pas. L'opinion américaine, en effet, fustige la lâcheté française. Et du côté de Washington, on laisse entendre que François Mitterrand se montrait en réalité plutôt favorable à l'opération, à l'inverse du premier ministre. L'opinion française, elle, supporte mal les humiliantes félicitations de Kadhafi au gouvernement français. Bref, le malaise est à peu près général.

Quelque temps plus tard, dans *le Monde,* Jacques Amalric lève le voile sur quelques aspects de la genèse de l'affaire. La voici.

François Mitterrand était informé, dès avant le 16 mars, de la volonté américaine de monter une opération contre la Libye. Arguant de la nécessité de lutter ensemble contre le terrorisme, Ronald Reagan aurait même invité les Français à se joindre à l'opération. Mais l'Élysée fait répondre par l'intermédiaire de Vernon Walters, l'ambassadeur américain aux Nations unies, qu'il n'envisage pas de s'associer aux manœuvres américaines dans le golfe de Syrte, même si l'on reconnaît bien volontiers le danger représenté par le colonel Kadhafi.

Moins d'une semaine après le 16 mars 1986, François Mitterrand réunit à l'Élysée Jacques Chirac et les ministres des Affaires étrangères et de la Défense pour les informer d'un certain nombre de dossiers critiques, et évoque naturellement celui-là. Personne n'élève la moindre objection à sa décision. Mais le 11 avril, dans un nouveau message, Ronald Reagan demande cette fois l'autorisation de survol du territoire par ses bombardiers basés en Angleterre en route pour Tripoli. Le président informe le premier ministre. Ils décident de garder l'attitude initiale de neutralité.

La veille du bombardement, le 13 avril, Vernon Walters revient à Paris. Il est reçu successivement par le président et le premier ministre. Que lui disent-ils ? Voici, résumée, la seule version connue, celle de l'ambassadeur américain.

Réponse de François Mitterrand : les objectifs sont trop vagues, le raid pourrait faire des victimes civiles. Le résultat pourrait être exactement à l'opposé de ce que l'on souhaite et Kadhafi sortirait de l'affaire à son avantage. Il n'est donc pas question de cautionner l'opération.

Réponse de Jacques Chirac : cette opération pourrait mettre la vie des otages en danger. Tout ce qui peut ternir l'image de la France dans le monde arabe doit être évité. Surtout, réflexe gaullien, le premier ministre ne veut pas être mêlé à une opération américaine.

L'ambassadeur américain en conclut que la position de François Mitterrand est moins tranchée. M. Mitterrand pourrait finir par accepter. C'est ce que Vernon Walters laisse entendre au président Reagan. Ce qui donne au président américain et à ses conseillers l'idée de jouer, à Tokyo, sur les nuances qui séparent l'Élysée de Matignon. Claude de Kémoularia, ambassadeur de France aux Nations unies et proche de François Mitterrand, aurait (selon Jacques Amalric) poussé, sans le savoir, Reagan dans ce sens en confiant à de nombreuses personnalités américaines que le président français aurait approuvé le raid s'il avait eu pour but de renverser Kadhafi.

Du coup, Jacques Chirac croit deviner qu'une manœuvre élyséenne veut lui donner l'image d'un velléitaire peu déterminé à lutter vraiment contre le terrorisme. Ce qui lui déplaît au plus haut point. Mais de l'autre côté à l'Élysée on s'irrite de la manière dont le premier ministre a tiré la couverture à lui et a minimisé le rôle du président dans cette affaire lors de l'émission télévisée d'Antenne 2. Le décor est planté, le bras de fer a commencé.

A la veille du Conseil européen de La Haye, qui doit se tenir les 27 et 28 juin, la querelle est ranimée. A ces Conseils assistent des chefs de gouvernement et leurs ministres des Affaires étrangères. La France est le seul pays représenté par le chef de l'État. Mais Matignon entend mettre un terme à cette tradition. François Bujon de l'Estang, conseiller diplomatique du premier ministre, dégaine le premier : « Les Conseils européens sont d'abord et avant tout l'affaire du gouvernement, déclare-t-il huit jours avant le Conseil. La Haye ne sera pas un Tokyo *bis*. Les affaires communautaires se définissent à Matignon sous l'égide du premier ministre. »

A peine a-t-il fini sa phrase que Mme Gendreau-Massaloux, porte-parole de l'Élysée, réplique : « L'Europe et son avenir regardent au premier chef le président de la République, mais il est normal que le premier ministre ait à connaître et à débattre de sujets qui concernent la gestion et touchent à la vie économique du pays. »

Ensuite, de part et d'autre, on plaide son dossier devant la presse. A Matignon, on fait valoir que les décisions susceptibles d'être prises dans ce type de rencontre touchent de très près à la politique intérieure et relèvent par conséquent de la compétence gouvernementale, conformément à la Constitution. M. Bujon de l'Estang, évoquant l'entretien d'une heure qui avait réuni sur ce sujet le président, le premier ministre et les ministres des Affaires étrangères et des Finances, le définit seulement « comme une brève réunion de travail » destinée à informer le chef de l'État.

A la présidence, on réplique aussitôt que la position française a été décidée ce jour-là, dans le bureau présidentiel.

En fin de compte, François Mitterrand et Jacques Chirac se rendront de concert à La Haye. François Mitterrand conduira la délégation et, à l'issue du Conseil, ils tiendront une conférence conjointe, répondant aux questions, chacun à son tour.

Seulement voilà : à La Haye – cohabitation oblige – les Néerlandais ont cru bon d'installer trois chaises derrière la table de la délégation française afin de permettre au président, au premier ministre et au ministre des Affaires étrangères de siéger ensemble. L'Élysée y met son veto : pas question de se singulariser. Dix minutes avant le début de la séance, un membre de la suite présidentielle française vient donc enlever une chaise. Si bien que, pendant toute la réunion, Jean-Bernard Raimond est obligé de jouer les bouche-trous : quand le premier ministre ou le président se retire, il s'installe; quand ils sont tous deux présents, il leur cède la place. Ce numéro des chaises musicales sera répété dans tous les sommets, pour le plus grand plaisir de nos partenaires.

Personne ne veut céder. François Mitterrand n'entend pas se laisser déposséder de la moindre parcelle de son territoire; il veut rester le seul maître de la politique étrangère. Tout en évitant un heurt direct avec le président, Jacques Chirac ne désarme pas non plus. En ce domaine les deux hommes se rencontrent souvent sur l'essentiel. Certes, quelques nuances les séparent : ainsi, Jacques Chirac souhaite un rapprochement avec la Turquie, à ses yeux injustement négligée au profit de la Grèce; il voudrait aussi corriger la politique menée par les socialistes en Amérique centrale, car il ne partage évidemment pas leur tendresse pour les sandinistes du Nicaragua; et peu à peu, dans les négociations pour la libération des otages, c'est le gouvernement qui monopolise les initiatives. Mais le véritable objectif du premier ministre dans ces bisbilles protocolaires est d'exister sur la scène internationale. L'Élysée ne s'y trompe pas, qui voit là un comportement plus pré-électoral que gouvernemental. Un anthropophage, ce Chirac, un vorace, murmure-t-on dans l'entourage du président! lequel raille volontiers cette présence rapprochée, qu'il qualifie de « marquage à la culotte ».

Il n'apprécie pas plus la visite du premier ministre aux militaires du camp de Suippes, le 10 juillet, et les déclarations où il revendique la responsabilité de la Défense nationale [1]. Et il ne tarde pas à riposter. Le défilé militaire du 14 Juillet lui en fournit l'occasion : l'Élysée s'arrange, tout simplement, pour que les caméras de la télévision, quand elles montrent la tribune officielle, soient cadrées exclusivement sur le fauteuil du chef de l'État. On ne voit que lui. Impossible dès lors d'ignorer sa prééminence en matière de défense. A bon téléspectateur, salut!

La politique étant la poursuite de la guerre par d'autres moyens, les batailles de la cohabitation font penser aux campagnes de Napoléon. Pour s'imposer, et

1. Voir plus haut.

arracher, arpent après arpent, des parcelles du domaine élyséen et conforter le sien propre, Jacques Chirac fonce à la manière d'un Murat. Il rompt les lignes, joue la rapidité et la surprise. En face, François Mitterrand interprète le rôle du maréchal russe Mikhaïl Koutouzov qui figurait parmi les vaincus d'Austerlitz mais rongea son frein et prit patience : quand Napoléon attaqua son pays, le commandant des armées du tsar se révéla un maître dans l'art de gagner du temps; il attirait l'adversaire loin de ses bases, le harcelait sans cesse, l'affaiblissait un peu plus chaque jour, battait en retraite sans débandade, afin que la Grande Armée n'arrive qu'en hiver dans les plaines de Moscou où l'attendraient la neige et le froid.

François Mitterrand soumet ainsi Jacques Chirac à une constante pression. Il retarde son action, freine l'exécution de ses décisions, mine son autorité, afin de l'amener exténué et l'image altérée à l'élection présidentielle.

Or, Jacques Chirac lui fournit – sans l'avoir prévu – une bonne occasion de retarder l'action gouvernementale. C'est que, limité par le temps, il veut agir vite et éviter les trop longues étapes parlementaires pour mettre en œuvre son programme. Il décide donc de gouverner par ordonnances. Et met ainsi une fort belle arme entre les mains du président. Car si celui-ci ne peut refuser de signer dans les quinze jours une loi votée par le Parlement, la contrainte s'allège s'il s'agit d'une ordonnance. Certes, aucune disposition de la Constitution ne stipule que le président peut s'abstenir de signer. Mais aucune ne précise à l'inverse qu'il y est obligé. Et aucun délai n'est fixé.

Refusant son seing à certains textes, et l'accordant à d'autres, François Mitterrand va utiliser ce vide juridique pour s'approprier, avec la complicité involontaire de ses adversaires, un rôle arbitral auquel ne l'autorisaient pas les résultats du 16 mars. Il critique ici, refuse là, profite de la moindre occasion pour marquer sa différence, voire son désaccord. Et mène la vie dure à un gouvernement auquel il ne laisse aucun répit.

Le 26 mars, il fait connaître son refus de signer l'ordonnance supprimant l'autorisation administrative de licenciement. Ce qui contraint Jacques Chirac à soumettre un projet de loi au Parlement.

Le 2 avril, il exprime ses réserves sur une dévaluation du franc.

Le 8 avril, dans un message au Parlement, il fixe les règles du jeu, de son jeu : les ordonnances, dit-il, devront être peu nombreuses et les lois d'habilitation suffisamment précises pour que le Parlement et le Conseil constitutionnel se prononcent en connaissance de cause.

Le 9 avril, il fait annoncer qu'il ne signera pas les ordonnances portant sur les privatisations des entreprises nationalisées avant 1981 (un symbole évidemment que ce « touche pas aux nationalisations du général de Gaulle »).

Le 14 mai, il critique le projet de loi portant suppression de l'autorisation administrative de licenciement.

Le 22 mai, il exprime ses réserves sur le projet de réforme du statut de la Nouvelle-Calédonie.

Le 14 juillet, il refuse de parapher l'ordonnance portant privatisation de soixante-cinq banques et entreprises, qui défait évidemment son œuvre de 1981. On frôle la crise. Le président explique ainsi son attitude au cours de la traditionnelle interview donnée à Yves Mourousi sur TF1 : « Permettez-moi de vous rappeler en une minute que la majorité parlementaire actuelle veut vendre aux intérêts étrangers une partie du patrimoine national. C'est son opinion, ça n'est pas la mienne... C'est pour moi un cas de conscience et pour moi, ma conscience, la conscience que j'ai de l'intérêt national, passe avant toute autre considération. »

De tels arguments portent sur l'opinion.

En Conseil des ministres, le ministre délégué chargé de la privatisation, Camille Cabana, ne se prive pas de ranimer la mémoire présidentielle en rappelant que les ministres socialistes ont, depuis 1982, indignement vendu à l'étranger des filiales d'entreprises nationales : la compagnie des lampes vendues par Thomson à Philips (Hollande); la division propylène de Rhône-Poulenc à Courtaulds (Grande-Bretagne), la Cofaz cédée par Paribas et Total à Norsk-Hydro (Norvège), les participations de Péchiney dans Omet vendues à Alibax (USA) et les parts de Bull dans Olivetti à ATT (USA). Édouard Balladur, de son côté, explique que toutes les garanties juridiques sont prises pour protéger les intérêts nationaux. Mais cela se dit autour de la table du Conseil. A la télévision, François Mitterrand s'est donné le beau rôle : que les Français se rassurent, il veille.

A la télévision, Jacques Chirac marque le coup : le président, dit-il, « s'oppose à la volonté des Français ». Mais il donne de lui-même une image défensive face à un homme qui ne veut pas avaler son chapeau, et renier ses engagements, et qui défend le patrimoine national. (Néanmoins les Français dans leur majorité approuveront les privatisations.)

Car François Mitterrand s'est inventé un nouveau rôle : il se présente comme le rempart des Français contre les excès d'un gouvernement trop pressé de tout bouleverser. Il ajoute, bien entendu, qu' « il ne veut pas empêcher le gouvernement d'agir », parce qu'il respecte, comme il se doit, le choix exprimé le 16 mars par les Français. Si bien que ceux-ci, peu à peu, vont s'habituer à ces admonestations patelines et apparemment marquées au coin du bon sens; juger normal qu'il jauge, critique, à tout propos, le gouvernement. Lors de son rituel pèlerinage à la roche de Solutré, suivi de son habituel discours sur la montagne, il définit ainsi son nouveau rôle : « Je ne sais pas du tout quel sera le terme de cette expérience dont je suis le maître. Mais j'ai le devoir d'intervenir chaque fois qu'une décision pourrait nuire à l'intérêt des Français, pourrait apparaître injuste ou exclure du mouvement une partie des Français. Je n'ai pas de préjugés contre ce gouvernement, mais il peut y avoir des points limites. Je dois dire ce qu'il y a de sain, de bon et de nécessaire... Une idée nouvelle se dégage : avec moi les Français ont aujourd'hui l'impression d'avoir gagné un arbitre. Je dois à la fois marquer les domaines essentiels qui relèvent de ma charge et pour tous ceux qui sont minoritaires, je dois exercer ce pouvoir arbitral. »

Ainsi, c'est lui qui sait ce qui est sain, bon et nécessaire, de science innée. Il s'arroge le monopole du juste, du bien, de la conscience, de la morale. Et il explique qu'en somme, un arbitre est fatalement du côté des minoritaires. Comme si, sur un terrain de football, il devait prendre obligatoirement la défense de l'équipe qui encaisse des buts, fût-elle tout simplement moins bonne que l'autre.

La mémoire des Français étant toujours aussi courte, cette tactique s'avère payante. Peu à peu, le président retrouve leurs faveurs dans les sondages. On assiste presque à une résurgence de l'État de grâce. Une bonne raison, donc, de continuer : le 2 octobre, il refuse de signer l'ordonnance sur le découpage électoral; il dénonce aussi le projet du Code de la nationalité, puis la réforme hospitalière de Mme Barzach. Il lui faut déstabiliser un premier ministre qui ose jouer le président bis pour lutter contre le terrorisme. Mais c'est l'explosion étudiante qui va lui donner l'occasion de porter l'estocade.

Cet automne-là, la France est triste. Les jeunes surtout. Paris porte le deuil et le sang d'horribles attentats. Les humoristes meurent : Coluche, prince paillard de la dérision et pote des enfoirés, Thierry Le Luron, dynamiteur des bonnes consciences, ont disparu. Les emplois sont toujours aussi rares, et l'avenir aussi incertain. Le désespoir, sournois, ravage les esprits. Et voici que le gouvernement, qui brûle toujours d'appliquer son programme, a l'idée saugrenue de vouloir réformer l'université en pleine rentrée universitaire.

A croire qu'il s'agit d'une manie. Chaque nouvelle législature s'accompagne d'un projet de réforme. D'Edgar Faure à Alain Savary en passant par Jean-Pierre Soisson, chaque nouveau ministre a voulu remettre de l'ordre, son ordre, dans cette institution vermoulue et sinistrée. Cette fois, c'est un jeune universitaire qui est en charge de la réforme. Ex-boursier, fils du boulanger d'une bourgade des Vosges, Raon-L'Étape, Alain Devaquet est spécialiste de mécanique quantique; il enseigne à Polytechnique et à la Sorbonne. Il connaît les étudiants, il vit parmi eux; ses deux fils sont lycéens. Comme un potache trop vite monté en graine, il paraît dégingandé et timide. Et il n'a qu'une règle : bien faire, sans rien casser.

Seulement voilà : il n'a pas le choix; il lui faut agir vite. Parce qu'à Matignon, dans l'entourage du premier ministre, on l'en presse. Et aussi parce que la situation paraît l'exiger. En 1983, Alain Savary avait fait adopter une loi qui se situait dans la logique du programme socialiste, celle du grand service public laïc et unifié de l'Éducation nationale : elle unifiait le système, évitait toute hiérarchisation entre les universités, et éliminait autant que possible les procédures de sélection [1]. Bonne ou mauvaise, cette loi n'était jamais entrée dans les faits : bon nombre de ses dispositions n'avaient pas été prolongées par des

1. Une loi qui avait fait descendre dans la rue les universitaires de gauche les plus éminents : Alain Touraine, Laurent Schwartz, Maurice Duverger, Gérard Lyon-Caen, Jacques Julliard.

décrets d'application, le gouvernement s'était abstenu à partir de 1984 de prendre les mesures réglementaires prévues (en matière de sélection à l'entrée du deuxième cycle par exemple). Si bien qu'en 1986, quinze universités seulement appliquent la loi Savary, dix-huit l'ignorent, et quarante et une en ont tiré ce qu'elles voulaient ou ce qu'elles pouvaient.

C'est que les socialistes ont changé d'idée sur l'enseignement supérieur aussi. En 1984, deux mois après la promulgation de la loi Savary, François Mitterrand est en voyage en Californie, du côté de la Silicon Valley. Au retour, il tient un discours que n'aurait pas désavoué le CNPF : « L'alliance californienne de l'université, de l'économie et de l'esprit d'entreprise, est le symbole de ce qu'il convient de faire en France. » Le contraire, en somme, de la loi Savary.

Ce n'est pas un propos de circonstance. Quelque temps plus tard, François Mitterrand demande au Collège de France un avis sur l' « enseignement de l'avenir ». Les propositions que formule alors cette docte assemblée sont également l'antithèse de la nouvelle loi. Elle préconise en effet des établissements diversifiés, autonomes, concurrents et une sélection à tous les niveaux.

En réalité, la plupart des présidents d'université opèrent déjà une certaine sélection. Ils demandent presque toujours aux futurs étudiants d'accompagner leur livret scolaire d'une lettre de motivation justifiant leur demande d'inscription dans une filière déterminée : il s'agit d'opérer un premier tri afin d'éviter un taux d'échecs en premier cycle variant entre 20 et 30 %.

Un véritable consensus semble donc près de se dessiner : Jean-Pierre Chevènement écrit le 16 mars 1986 dans *le Monde* que « s'il y a plus d'étudiants, il faut prendre franchement le parti de l'orientation ».

Alain Devaquet, lorsqu'il élabore son projet, est donc

en droit de penser que celui-ci ne rencontrera pas trop d'obstacles. Et il commet sa première erreur, due à la précipitation : une insuffisante concertation avec la communauté universitaire, qui va s'en plaindre. Deuxième erreur : il présente son texte le même jour, le 12 juin, aux présidents d'université et aux journalistes. Ce qui donne aux premiers le sentiment d'être mis devant le fait accompli. Or, ils ont quelques raisons de craindre cette loi qui prévoit l'éclatement des universités en unités fédérées : leur pouvoir s'en trouve affaibli, morcelé. Les sentiments corporatistes aidant, leur réaction sera donc plutôt négative. Dans un communiqué publié fin juin, la conférence des présidents juge que cette loi « n'accorde pas assez d'autonomie aux universités » et qu'elle confère trop de pouvoirs aux recteurs nommés par le gouvernement.

Il faut le noter, ces reproches vont exactement à l'inverse de ceux que formuleront, à l'automne, les étudiants : ceux-ci reprocheront au texte d'accorder trop d'autonomie aux universités. Qu'une même loi puisse faire l'objet de deux lectures opposées est significatif : le texte était trop juridique, trop sobre, mal présenté, sans déclaration d'intention, ni véritable exposé des motifs qui puisse éclairer l'opinion, les intéressés.

D'autres textes, guère mieux ficelés, n'ont pas valu à leurs auteurs les mêmes ennuis. Mais Alain Devaquet joue de malchance. Quand il fait adopter son projet en Conseil des ministres, le 11 juillet – sans provoquer la moindre observation de François Mitterrand –, il est trop tard pour envisager un débat parlementaire immédiat : l'Assemblée est accaparée par la loi Méhaignerie sur le logement (à laquelle le gouvernement a donné la priorité) et le Sénat par le texte sur l'audiovisuel.

Personne, en tout cas, ne présente d'objections. Les principaux intéressés, il est vrai, sont en vacances, ou font leurs bagages. Mais un prédécesseur d'Alain Devaquet,

Roger-Gérard Schwartzenberg, ex-secrétaire d'État aux Universités, écrit dans *le Monde* que c'est « une loi pour rien ». Il relève notamment qu'elle ne contient aucune disposition nouvelle sur l'autonomie financière des universités. Ce qui est exact. Le texte se borne à préciser qu'elles « perçoivent des droits d'inscription ». Sans plus. Or, c'est l'affaire des droits d'inscription qui va provoquer contestation et colère. Celle de la sélection aussi, alors que la loi accorde l'accès à l'enseignement supérieur à tout bachelier, précisant même [1] que cet accès doit s'effectuer, autant que possible, à proximité de la résidence de l'étudiant. Le texte est présenté au Sénat à la fin d'octobre dans une quasi totale indifférence. Les sénateurs décident que les universités pourront fixer elles-mêmes le montant des droits d'inscription, mais ceux-ci ne devront pas dépasser le double d'un minimum fixé par arrêté ministériel. Et ils adoptent le projet le 30 octobre. *Le Monde* titre « L'Université sans passion ».

Un mois plus tard, pourtant, des centaines de milliers de jeunes seront dans la rue, en lutte contre les propositions Devaquet. Le 6 décembre, le ministre sera contraint de démissionner. Et, le 8, Jacques Chirac devra retirer son texte. Comment expliquer un tel retournement de situation, comment un mouvement d'une telle ampleur a-t-il pu naître et s'étendre avec une aussi surprenante soudaineté ?

Ces questions se posent avec d'autant plus d'acuité qu'il y a disproportion entre les termes du projet de loi et l'intense mobilisation de ses adversaires. Il est vrai que bien des lycéens, très largement majoritaires dans toutes les manifestations, ont cru que ce projet hypothéquait leur avenir, déjà inquiétant, en dressant un barrage à l'entrée des universités, en supprimant la valeur nationale des

1. Les sénateurs l'ont amendée dans ce sens.

diplômes, et en instaurant une sélection par l'argent. On le leur a fait croire. La commission d'enquête sur ces événements, instituée par le Sénat, et dont les travaux ont été publiés [1], relève en en montrant les photocopies que de nombreux tracts alors distribués dans les lycées donnaient de la loi une image fausse à coups de citations tronquées. L'UNEF évoquait des droits d'inscription d'un montant de 3 000 francs, le SNESUP, de 5 000 francs. L'escalade s'est ainsi poursuivie jusqu'à 10 000, voire 15 000 francs (sur un tract des jeunesses communistes révolutionnaires). Et certains jeunes se sont montrés d'autant plus crédules que les droits d'inscription, insensibles à l'inflation entre 1969 et 1982 (ils étaient restés à 95 francs pendant toute cette période), s'étaient mis, ensuite, à croître régulièrement pour atteindre 450 francs en 1986. Encore bien loin des montants extravagants cités par les tracts.

Contre-vérités, malentendus, mauvaise communication entre le pouvoir et les intéressés, maladresse des textes et des propos, disponibilité d'une génération qui, à la différence de ses aînés de 1968, n'a que faire des mots d'ordre politiques, mais est prête à vibrer sur les thèmes de l'égalité, de la solidarité, et de la défense des exclus : tels sont les ingrédients de l'explosion. Encore faut-il quelqu'un pour allumer la mèche. Il y a des volontaires. Ou des apprentis sorciers.

Tout d'abord, la puissante Fédération de l'Éducation nationale. Le malheur enseignant est, hélas, une vieille histoire. Depuis des décennies ces hommes et ces femmes qui furent des notables ont été prolétarisés : leur magistère moral n'est plus qu'un souvenir. Leur unité aussi : en raison du boom démographique et de la scolarisation croissante, il a fallu recruter à tout va, intégrer par exemple, dans l'enseignement secondaire, un grand nom-

1. Aux éditions Hachette.

bre de maîtres auxiliaires et de PEGC, aller chercher même d'anciens officiers pour en faire des professeurs. Les nouveaux venus ne sont pas toujours sur la même ligne politique ou syndicale que leurs aînés, ou leurs collègues, passés par les filières traditionnelles. Mais la FEN a réussi à maintenir son influence, parce qu'elle s'est installée à tous les leviers de commande, pratiquant une véritable cogestion (quand ce n'est pas une gestion directe) avec le ministre et la hiérarchie officielle, et parce qu'elle est l'expression d'un véritable corporatisme.

Or, les dirigeants de la FEN ont le vague à l'âme. Il ne se passe pas de semaine qu'un journal ou un livre ne dénonce la responsabilité de leur organisation dans les faiblesses du système éducatif. Ils sont traumatisés par l'échec retentissant du projet de grand service public, laïc et unifié de l'Éducation nationale. Et ils craignent que le nouveau gouvernement de droite ne manifeste pas les mêmes scrupules ou les mêmes complexes que leurs prédécesseurs des années soixante ou soixante-dix, peu enclins à attaquer cette forteresse laïque.

Crainte justifiée. A peine arrivé au ministère de l'Éducation nationale, René Monory annonce qu'il va le diriger « sans les syndicats », qu'il veut réduire leur pouvoir. Et il ne se contente pas de le dire, il le fait.

Il commence par provoquer la zizanie à l'intérieur par une décision apparemment innocente : il arrête le recrutement des PEGC et favorise leur promotion dans le corps des professeurs certifiés. Or, les premiers appartiennent au syndicat national des instituteurs (SNI), les autres au syndicat national de l'enseignement secondaire (SNES, deux composantes majeures – et rivales – de la FEN). Le ministre remet donc en cause l'équilibre de celle-ci.

Il va plus loin. En plein été, il met fin au monopole des assurances scolaires que détenait le SNI. C'est toucher à l'argent. Enfin, à l'automne, son secrétaire d'État,

Michèle Alliot-Marie, annonce la suppression de 1 700 postes de « mis à disposition » des associations éducatives, culturelles et de loisirs complémentaires de l'école. Autrement dit, le ministère qui entretenait 1 700 cadres permanents de ces associations proches de la FEN les réintègre dans le corps enseignant. Cela fait mal.

Et voilà qu'au moment même où le projet Devaquet est discuté au Sénat, René Monory commence à consulter tous les partenaires du système éducatif sur un avant-projet de réforme des lycées. La FEN désapprouve les orientations de ce texte. Bientôt, il sera amalgamé à la loi Devaquet, dans une égale réprobation. Aussitôt, la fédération des Conseils de parents d'élèves (plus connue sous le nom de Fédération Cornec, du nom de son ancien président), qui est entièrement contrôlée par la FEN, fait chorus. L'idée d'une grande manifestation de rue s'impose d'autant plus vite que, de ce côté, on rêve depuis 1984 de montrer que l'on est aussi puissant et déterminé que les parents de l'école privée.

C'est alors qu'entre en scène le parti socialiste. Il va prendre l'affaire en main, histoire de démontrer qu'en dépit de son échec électoral, il garde bon pied bon œil.

A l'issue d'une rencontre, fin octobre, entre Jacques Pommatau (FEN), Lionel Jospin, Jean Poperen, Marcel Debarge et Georges Sarre (PS) la date de la manifestation est fixée au 23 novembre. Dans un communiqué commun, le PS et la FEN appellent à « mettre en échec les choix du gouvernement ». Ils dénoncent une loi « qui risque d'entraîner la restriction du nombre d'étudiants, l'augmentation des droits d'inscription, la dépréciation des diplômes, la concurrence entre les universités et la suppression des postes d'enseignants, mis à la disposition des associations périscolaires ».

Un bel amalgame entre les problèmes propres à la FEN (suppression des postes d'enseignants mis à la disposition des associations) et le procès fait à la loi Devaquet.

Cette manifestation sera un succès. Plus de deux cent mille personnes conduites par tous les caciques du PS, de Lionel Jospin à Jean Poperen en passant par Jean-Pierre Chevènement et Michel Rocard, et les anciens premiers ministres Fabius et Mauroy. Les manifestants crient « augmentez nos salaires, diminuez nos horaires » mais aussi « Tonton, tiens bon, nous revenons » et « vivement demain, Tonton ».

Si la FEN a fait ce qu'il fallait, le PS n'a pas ménagé ses forces pour que cette démonstration soit un succès. Une campagne de communication a été confiée à l'agence de publicité Bleu, blanc, rouge animée par l'ancien porte-parole du parti, Bertrand Delanoë. Elle aurait coûté, selon l'hebdomadaire *le Nouvel Économiste*, un million et demi de francs. Et les slogans utilisés auraient été revus et corrigés, à en croire les confidences de Bertrand Delanoë à des journalistes, par Jean-Louis Bianco, secrétaire général de l'Élysée. De son côté, Lionel Jospin a fait « envoyer une lettre à cinquante mille exemplaires à tous les enseignants socialistes pour qu'ils viennent manifester, et le PS a diffusé un million et demi de tracts [1] ». Jean-Jack Queyranne, porte-parole du PS, ne le cache pas : « L'ensemble des fédérations du parti, dit-il, se sont engagées. » La mobilisation générale, en somme.

Or, la date du 23 novembre a été bien choisie. Car M. de la Palice ne l'eût pas démenti, le dimanche 23 est le lendemain du samedi 22. Or, ce samedi-là, François Mitterrand se rend, comme par hasard, à Auxerre où il célèbre le centenaire du décès de Paul Bert [2]. Cette

1. *Libération* du 25 novembre.
2. Ministre de l'Instruction publique de novembre 1881 à janvier 1882 au sein du cabinet Gambetta où il incarnait l'anticléricalisme le plus décidé, il avait auparavant contribué à toutes les grandes réformes scolaires.

célébration aurait pu conserver un caractère local, or Jean-Pierre Soisson, le maire de la ville, reçoit, à la fin août, un appel téléphonique de Jean-Louis Bianco, secrétaire général de l'Élysée, qui souligne le grand intérêt du président pour cet événement, intérêt tel qu'il souhaite y être invité. Ce qui sera fait par la lettre du 11 septembre. Le président viendra donc célébrer la mémoire d'un homme qui avait souhaité que « tout enfant jusqu'au dernier hameau puisse jouir de l'égalité des droits de la nation ».

Ce 22 novembre, tous les journalistes le relèvent, le président se montre de fort bonne humeur. Presque guilleret. Dans une interview au quotidien local, *l'Yonne républicaine*, il tient à préciser que ses déplacements en province « ne relèvent pas d'une campagne, mais seulement de la volonté de rester en contact avec les Français ». Ce qui ne l'empêche pas d'ajouter : « Le clivage droite-gauche ne fait que traduire la différence entre les forces de conservation et les forces de progrès... Je n'ai pas souhaité cette situation politique, on s'en doute, je la vis et je la gère. J'ai voulu éviter une crise dont le pays aurait souffert. J'agis en conséquence. » Et, lors de la cérémonie, après avoir exalté l'école, lieu où se cimente l'unité nationale, il salue l'« admirable cohorte des instituteurs ».

Évidemment les journalistes l'interrogent sur l'agitation qui commence dans les universités et de nombreux lycées et sur la manifestation prévue le lendemain par la FEN. Il répond devant les caméras : « Mais comment voulez-vous que je me sente déphasé par rapport à ce que veulent exprimer les gens qui manifestent demain et dans les universités ? » On ne saurait si bien dire. Et c'est un journal de gauche, *le Matin*, qui écrira sous la plume de Florence Murraciole : « Coïncidence, coïncidence... Samedi François Mitterrand honore Paul Bert... Le lendemain plusieurs dizaines de milliers de manifestants défilent sous les banderoles de la FEN, du PS et de diverses organisations réunies pour la défense de l'école. Mais il est des hasards heureux. Et François Mitterrand s'est plu à savourer samedi dans l'Yonne cet amusant concours de circonstances. »

Hasard heureux, amusant concours de circonstances. Décidément, les coïncidences se multiplient en cet automne 1986 : alors que François Mitterrand parle à Auxerre, s'ouvrent à la Sorbonne les états généraux de l'UNEF-ID. Ils ont été lancés le 22 octobre (le lendemain du jour où la FEN avait décidé de son côté de manifester le 23 novembre... Seuls les mauvais esprits y verront autre chose qu'une rencontre fortuite). Ce jour-là, l'UNEF-ID entend mobiliser les étudiants contre la loi Devaquet, non pour en obtenir le retrait, mais pour la faire amender.

Le président de l'UNEF-ID s'appelle Philippe Darriulat. Il a démissionné du parti communiste international (d'inspiration trotskiste) au mois d'avril précédent. Il n'était pas le seul. Avec lui s'en sont allés Jean-Christophe Cambadélis, son prédécesseur à la tête de l'UNEF-ID, Marc Rozemblat, Jean Grosset, et bien d'autres. En moins d'un mois quatre cents militants du PCI ont abandonné ainsi leur parti et créent un nouveau mouvement, « Convergences socialistes ». Pas pour longtemps.

Les 7 et 8 juin, deux cent cinquante membres de Convergences socialistes réunis en convention ont en effet décidé d'adhérer au parti socialiste et de mener campagne contre le projet de réforme de l'enseignement supérieur.

Le 29 septembre 1986, Jean-Christophe Cambadélis annonce l'adhésion individuelle au PS des membres de Convergences socialistes et la dissolution de cette association. Le 5 octobre, le comité directeur du PS accepte l'adhésion de ces anciens trotskistes dont la majorité rejoint le courant mitterrandiste. Jean-Christophe Cambadélis est même nommé observateur au comité directeur.

Grâce à ce ralliement l'UNEF-ID jusque-là dominée par le PCI est passée sous l'emprise des socialistes.

Jean-Louis Bianco, le secrétaire général de l'Élysée, a suivi de très près et depuis l'origine ce processus de ralliement [1].

Une foule se presse le 22 novembre aux états généraux de l'UNEF-ID. La première à prendre la parole est Isabelle Thomas. C'est elle qui a lancé le premier mouvement de grève à Villetaneuse le 13 novembre. Elle est proche de la direction de « SOS racisme », bien implanté dans les lycées où les élèves arborent volontiers l'insigne en forme de main où est inscrit « touche pas à mon pote ». « SOS racisme » va jouer un rôle important dans l'organisation du mouvement à partir de ses réseaux lycéens « Stop racisme ». Bien des militants de « SOS racisme » gravitent autour du PS ; ils sont regroupés dans une tendance informelle, « Questions socialistes ». Les dirigeants de « SOS racisme » pensent qu'en faisant reculer le gouvernement sur la loi Devaquet, ils créeront un climat favorable à l'abandon du Code de la nationalité. A leurs yeux, les manifestations lycéennes et étudiantes sont une répétition générale.

Lorsqu'elle prend la parole à la Sorbonne, Isabelle Thomas propose donc de lutter pour le retrait pur et simple du projet Devaquet. Une délégation lycéenne, inspirée par les jeunesses communistes révolutionnaires, a déjà préparé une motion qui va dans le même sens. Pas question de s'attarder à discuter. On décide d'organiser le 27 une manifestation nationale contre la loi Devaquet. Une coordination étudiante et lycéenne est créée pour organiser les défilés, à Paris et en province.

Ce sera un succès.

1. Travaux de la commission d'enquête sénatoriale sur les manifestations de novembre et décembre 1986.

Quatre cents cortèges sur tout le territoire. Des défilés joyeux, bon enfant. Mais sans résultat : le gouvernement maintient son projet. La coordination nationale des étudiants se prononce donc pour la poursuite de la grève générale des universités, et lance un appel aux enseignants de France pour qu'ils se joignent à leurs élèves. Une nouvelle manifestation, gigantesque, est prévue à Paris pour le jeudi 4 décembre, il est essentiel de la réussir.

Cela suppose une logistique puissante et efficace : moyens de transports, nourriture, sonorisation, etc. De nombreuses mairies socialistes ou communistes accordent des subventions. A Villeurbanne, Charles Hernu autorise une quête auprès des conseillers municipaux lors d'une séance du conseil municipal. La FEN participe largement au financement. Vingt-cinq trains spéciaux sont affrétés. Des tarifs préférentiels sont accordés par les directions régionales de la SNCF. Un peu partout, on fait la quête avant d'aller faire la fête. Un concert place de la Concorde est même prévu, dit-on, pour clôturer la manifestation. La France des adultes s'attendrit sur ce mouvement juvénile, sympathique et non politique : un sondage « Ipsos » publié le 4 décembre par *le Matin* fait état de 62 % d'opinions favorables. L'obstination et l'incompréhension d'un gouvernement qui ne comprend pas la jeunesse sont, en revanche, blâmées.

Jacques Chirac le sent. Le 30 novembre, à *Questions à domicile*, il répond, propose une réécriture des points litigieux de la loi, et veut bien reconnaître que des maladresses ont peut-être été commises : si le projet n'a pas été compris, il faut s'expliquer, discuter.

C'est alors que la discorde s'installe entre deux tendances de la coordination étudiante : d'un côté David Assouline et ses amis de la Ligue ouvrière révolutionnaire, de l'autre Philippe Darriulat. Celui-ci paraît prêt à négocier avec le premier ministre tandis qu'Assouline et Isabelle Thomas s'y opposent : pas de négociation, on ira jusqu'au bout, c'est-à-dire le retrait pur et simple. Le 2 décembre un nouveau bureau est élu, Assouline triomphe et Isabelle Thomas est évincée parce qu'on lui reproche de s'être trop mise en avant, d'avoir joué les vedettes en posant pour *Paris-Match*. Mais l'important n'est pas là : l'important c'est que la tendance dure a gagné.

Le dialogue avec le pouvoir va-t-il tourner court? Entre le 2 et le 4 décembre, des contacts se poursuivent. Isabelle Thomas sous le coup de son échec paraît changer de tactique. En compagnie de Julien Dray, père fondateur de « SOS racisme », elle rencontre Éric Raoult, député RPR et délégué à la jeunesse. Le 3 décembre, elle est reçue par Jacques Toubon. Il est urgent de trouver une solution acceptable, dit-elle en substance, le mouvement est maintenant dans la main des gauchistes. Il échappe à l'UNEF-ID, on peut craindre un dérapage. Sept amendements au projet sont rédigés, que Jacques Toubon transmet à Alain Devaquet. Les conditions, croit-on, sont réunies pour qu'un accord honorable soit trouvé.

Le lendemain, la manifestation, d'abord joyeuse et calme, paralyse Paris et embouteille quelques villes de province. Trois cent mille jeunes déambulent de la Bastille aux Invalides en chantant et criant des slogans, trois cent mille autres manifestent en province.

Tandis que les Parisiens attendent aux Invalides, le bureau de la coordination, conduit par Assouline, rencontre René Monory et Alain Devaquet à 19 heures. Mais le dialogue va rapidement tourner court. René Monory ne sait pas avec qui il négocie. Alain Devaquet, qui a en poche le texte des amendements Toubon, n'y fait pas allusion. Timidité? En tout cas, c'est Assouline qui rompt la discussion. Car il appartient à une génération qui a appris très tôt le maniement des médias. Il veut sortir du bureau des ministres avant 20 heures pour apparaître au *Journal télévisé.*

Quand la délégation revient aux Invalides, les affrontements ont déjà commencé. En fait, quelques heurts se sont produits dès 18 heures.

Jean-Pierre Maljean, secrétaire général du Syndicat national indépendant de la police, minoritaire et marqué à droite, écrira le lendemain à Robert Pandraud : « J'ai constaté de visu, à l'angle de l'avenue de Tourville et du boulevard de la Tour-Maubourg, sur le trottoir bordant les Invalides, un regroupement d'une cinquantaine de jeunes âgés de moins de vingt-six ans. Ils portaient des sacs remplis de barres de fer et de manches de pioches dont la distribution s'effectuait à partir d'une camionnette jaune. »

Provocation ? L'encadrement de la manifestation est débordé par les casseurs, cela ne fait aucun doute. Les policiers harcelés finissent par lancer des grenades lacrymogènes. Trois jeunes sont très sérieusement blessés : François Rigal, vingt et un ans, étudiant à Brest, perd un œil, Patrick Berthet, vingt-huit ans, postier, a la main arrachée, Jérôme Duval, dix-huit ans, souffre d'un enfoncement de la boîte crânienne. On dénombre encore 90 blessés plus légers du côté des manifestants, 254 du côté des forces de l'ordre.

Des grenades ont-elles été lancées à tir tendu ? *Le Monde, Libération*, l'AFP l'affirment. La commission d'enquête du Sénat n'infirme ni ne confirme. La fête, quoi qu'il en soit, s'achève en drame. La joie fait place à la confusion et à l'amertume.

Dans la nuit, Roland Dumas, ancien ministre des Relations extérieures, très proche de François Mitterrand, intervient à l'Assemblée nationale. En accusateur. « Le gouvernement, dit-il, est responsable devant le pays des événements qui se sont produits aujourd'hui et ce soir en particulier. Une jeunesse pacifique s'était rassemblée dans la joie, elle avait les mains vides, elle avait même projeté de dresser un tréteau pour entendre de la musique, vous avez répondu non à cette jeunesse qui n'a entendu que le bruit des grenades. Monsieur le Président, le groupe socialiste en appellera au pays pour dire où sont les responsabilités du gouvernement. »

Cet appel au pays prend, dès le lendemain, la forme de conférences de presse tenues par des socialistes dans toutes les académies. Il s'agit de rappeler que le PS était opposé dès l'origine à la loi Devaquet.

Pendant ce temps, la coordination étudiante, soucieuse de préserver le capital de sympathie amassé, tente d'élargir le mouvement. La Sorbonne est occupée.

Le gouvernement, lui, se trouve dans l'embarras. A 9 h 30, ce matin-là, Jacques Chirac réunit Alain Devaquet, René Monory et Charles Pasqua à Matignon, afin d'arrêter une position claire et présentable à l'opinion. Jean Lecanuet les rejoint un peu plus tard. Ils décident de présenter le texte à l'Assemblée dès 15 heures. Pas question de reculer. René Monory interviendra à 20 heures à la télévision pour expliquer la position gouvernementale. Là-dessus, Jacques Chirac s'envole pour le sommet européen de Londres, où se trouve déjà François Mitterrand. Et à 18 heures, Édouard Balladur, premier ministre par intérim, annonce à Alain Devaquet qu'il est dessaisi du dossier confié désormais à René Monory qui jouira, pour traiter l'affaire, d'une très large autonomie. Alain Devaquet rentre chez lui et écrit sa lettre de démission.

A 20 heures, René Monory annonce à la télévision qu'il est prêt à retirer du texte de loi les trois points qui sont à l'origine du conflit : sélection, droits d'inscription, diplômes nationaux. Soupirs de soulagement dans la majorité : certains députés avaient demandé depuis plusieurs jours au gouvernement de renoncer à cette partie du projet; tous pensent que la crise est désamorcée.

Las, las, le pire est encore à venir. Car le Quartier latin bouillonne. Et, au milieu de la nuit, après que la police eut fait évacuer la Sorbonne, les affrontements se multiplient. Rue Monsieur-le-Prince, un jeune étudiant français d'origine maghrébine, Malik Oussékine, roué de coups par des « voltigeurs » motocyclistes de la police, succombe bientôt à ses blessures. La fête est décidément bien finie. C'est l'horreur, l'absurde horreur. Les Français, l'apprenant au réveil le lendemain matin, s'indignent, déplorent, et s'inquiètent.

Le gouvernement aussi. Jacques Chirac rentre précipitamment de Londres et fait annuler le bal du samedi soir prévu, par le RPR, pour fêter les dix ans du mouvement. A la fin de la journée, François Mitterrand abrège son dîner avec l'Espagnol Felipe Gonzales pour recevoir le premier ministre. De cette rencontre deux versions seront fournies. Selon l'Élysée, François Mitterrand aurait réclamé le retrait pur et simple du texte. Selon Matignon, le président aurait seulement dit au premier ministre : « Il n'y a pas de honte à retirer un texte, je l'ai bien fait moi-même. » Nuance...

L'agitation, pendant ce temps, se poursuit. Toute la nuit, les casseurs tiennent le pavé au Quartier latin. L'ordre est rétabli par les CRS, longtemps immobiles et impassibles, vers 3 heures du matin, seulement.

Le dimanche 7, contrairement à ses habitudes, le président s'installe à son bureau dès 8 heures du matin. Toute la journée, il travaille avec Jean-Louis Bianco, Jacques Attali. Il reçoit Laurent Fabius et Lionel Jospin. Il se dit prêt, si Jacques Chirac s'obstine, à prendre l'opinion à témoin. Pendant ce temps, à Matignon, Léotard et Alain Madelin demandent à Jacques Chirac de retirer son texte. Les jeunes ministres RPR adoptent la même position.

La coordination étudiante, elle, décide de faire du lundi une journée de deuil et en appelle aux centrales syndicales pour organiser une manifestation le mercredi 10 décembre, sur le thème « plus jamais ça ». Or, François Mitterrand doit intervenir la veille, le mardi, lors de l'émission *Découvertes* de Jean-Pierre Elkabbach sur Europe 1. Le lundi 8, Jacques Chirac finit par céder : il retire le projet.

Ce lundi le président de la République déjeune avec Elie Wiesel, débarqué le matin même de New York, en route pour Stockholm où il doit recevoir le prix Nobel de la Paix. Le président, qui projette d'aller saluer l'après-midi même la famille de Malik Oussékine, l'invite à l'accompagner. La présence aux côtés du chef de l'État d'un prix Nobel, écrivain sensible et défenseur attitré des droits de l'homme, impressionne plus que tous les discours. Les télévisions s'en font largement l'écho. Le message de l'Élysée est clair : le président a bien le monopole du cœur et le gouvernement celui de la responsabilité. L'émotion, la sincérité personnelle, et l'intérêt politique bien compris se conjuguent pour le meilleur contre le pire.

Ce même jour, Charles Pasqua et Robert Pandraud se sont rendus, eux, au chevet des policiers blessés au cours des manifestations. Comme si chacun suivait la pente naturelle de ses fonctions et de sa sensibilité. En ignorant l'autre.

La démarche de François Mitterrand prend ainsi l'allure d'un événement politique. Aux yeux de nombre de Français, le président semble avoir choisi son camp. L'Élysée tentera ensuite de relativiser sa démarche en arguant qu'il s'agissait seulement pour le président de dire ses condoléances à une famille française musulmane éplorée. Reste qu'il n'avait pas accompli le même geste après la mort, quelques semaines plus tôt, de deux jeunes gardiens de la paix courageux, Bernard Gauthier (vingt-neuf ans) et Jean-Louis Breteau (vingt-quatre ans), tués par l'explosion d'une bombe terroriste qu'ils avaient emportée précipitamment hors du Pub Renault, préservant ainsi la vie de centaines de jeunes consommateurs. C'est Jacques Chirac qui avait prononcé leur éloge funèbre.

Le lendemain, pourtant, interviewé par Jean-Pierre Elkabbach, François Mitterrand dira : « Pour quelles raisons ai-je été le seul représentant des pouvoirs publics à faire cette visite que tout imposait ? Je n'ai pas à répondre... Si j'avais appris la mort d'un policier mort en service commandé j'aurais eu la même attitude. »

Tout au long de cette inverview, le président se plaît à instiller de petites décoctions de strychnine dans la potion déjà amère qu'avale le premier ministre.

D'emblée, François Mitterrand se dit « sur la même longueur d'onde » que les manifestants. D'ailleurs, dit-il, ceux-ci savaient « pouvoir compter sur la compréhension du président ».

Il souligne qu'il avait fait connaître depuis longtemps son sentiment au premier ministre sur le projet de réforme des universités « au mois de juillet, précise-t-il, au moment où le projet de loi nous a été remis (...). C'était d'autant plus légitime dans mon esprit que j'étais en somme le coauteur comme président de la République de la loi précédente [1], celle précisément que l'on réformait ». Et de répéter qu'à plusieurs reprises, il avait suggéré à Jacques Chirac de retirer le projet.

Il ajoute, patelin, mais griffu : « Les décisions prises ont été prises à temps... Un peu tard, mais encore à temps. »

1. Celle d'Alain Savary.

Puis il adopte le ton père de la nation : « Il faut rechercher sur les problèmes de l'éducation un mouvement de même ampleur et de même profondeur que celui que nous avons obtenu sur la défense... Il y a derrière tout cela des valeurs qui doivent être simples. Quand M. Chevènement a demandé que l'on reprenne la vieille démarche oubliée de l'éducation civique à l'école, il a bien fait. Pour moi, les valeurs simples, les valeurs neuves cela s'appelle la liberté, l'égalité, la fraternité, la solidarité, le respect de l'environnement humain, le goût de l'ouvrage bien fait, le sens des responsabilités. C'est cela l'instruction de base... Ouvrons l'université à tous les enfants qui ont acquis le diplôme de base, le bac, et à partir de là formons-les au savoir, et formons-les aux métiers.

– Comment avez-vous trouvé votre premier ministre dans l'épreuve ? interroge Jean-Pierre Elkabbach.

– Je ne suis pas là pour vous dire ces choses, je ne ferai aucun jugement de caractère personnel... Vous voulez que je le félicite... Je dirai simplement qu'il a beaucoup de qualités et je souhaiterais que ces qualités fussent appliquées exactement au bon endroit et au bon moment. »

Les griffes sont sorties.

Heureusement, le président est là, et il veille : « La cohabitation est un art difficile, mais voyez dans la crise étudiante et lycéenne, il n'a peut-être pas été mauvais que le président de la République et que le chef du gouvernement aient une approche différente. Supposez qu'il y ait eu la même approche, peut-être n'y aurait-il pas eu cet équilibre qui a abouti à la situation où nous sommes aujourd'hui... A aucun moment les Français ne me sentent comme manquant à mes fonctions. La première c'est d'être juste avec chacun, c'est de faciliter l'entente des Français, de ne jamais chercher un motif qui puisse les diviser, d'éviter pour eux les crises inutiles dont ils souffrent. Il faut que la France gagne. Je le répète depuis des années... Je ne veux rien imposer, autrement que ce que mon devoir m'oblige à imposer. C'est-à-dire une certaine direction intransigeante dès qu'il s'agit de défendre les intérêts des Français, là-dessus, je ne transige pas. »

Au Parlement, les députés socialistes s'empressent de répercuter la bonne parole présidentielle et d'organiser son service après-vente.

Son ami Roland Dumas lance au gouvernement : « Vous avez laissé provoquer le désordre pour l'utiliser à des fins médiocres de récupération. »

« Qui a livré le Quartier latin aux loubards et aux pillards ? Le ministre de l'Intérieur a menti en disant qu'il n'y avait sur place aucun officier de police judiciaire pour procéder à des interpellations ? » interroge à son tour Pierre Joxe qui se demande, fine mouche, si l'absence de Charles Pasqua au banc du gouvernement n'est pas le signe de sa prochaine démission.

« Messieurs, les casseurs, c'est vous », répond Robert Pandraud.

Il n'empêche : ce mois de décembre est décidément faste pour François Mitterrand. Le président est au faîte de sa popularité, alors que les ennuis de Jacques Chirac se multiplient. A croire que Saturne plane sur son thème astral.

Le 17 décembre, François Mitterrand s'empresse de pousser ses avantages. Trois ordonnances lui sont soumises par Philippe Seguin, il en paraphe deux seulement : la réforme de l'ANPE (Agence nationale pour l'emploi), la prolongation du plan de l'emploi des jeunes. Il repousse, en revanche, le texte sur l'aménagement du temps de travail. Au nom du sacro-saint et paralysant respect des acquis sociaux. Du coup, il se place dans le camp des salariés au moment même où une brise d'agitation sociale se manifeste à Air Inter, à la RATP et à l'EDF.

Celle-ci atteint, le 19 décembre, la SNCF : la CFDT et les Autonomes lancent un mot d'ordre de grève pour les agents de conduite de la banlieue. Le mouvement va très vite s'étendre. Comme pour les étudiants, se crée chez les cheminots une « coordination nationale ». Elle est dirigée par Daniel Vitry, un membre de Lutte ouvrière.

Les raisons de la grève sont multiples. Les cheminots jugent la hausse des salaires insuffisante. Ils refusent la grille des salaires au mérite, qui hiérarchise les primes. Ils se plaignent de conditions de travail trop médiocres. La télévision montre les dortoirs des roulants, tristes et vétustes, dont le délabrement n'avait pas, apparemment, attiré l'attention des ministres des transports précédents, dont le communiste Charles Fiterman.

Une fois de plus, c'est l'impasse. Les trains sont bloqués. Le départ des familles pour les vacances de Noël est compromis.

La nomination, le 29, d'un médiateur, François Lavondès, n'arrange rien. Le conflit s'enlise.

Le 31 décembre au soir, le président présente comme de coutume ses vœux aux Français. Il a choisi le ton le plus chaleureux et la ligne la plus œcuménique. « François Mitterrand a de toute évidence fait un bon réveillon. Il y avait un brin de gaieté dans son ton, et une assurance joyeuse dans le regard », note Alain Rollat dans *le Monde*.

Il a des raisons d'être heureux en effet, le président. Un sondage de l'institut BVA publié par *Paris-Match* confirme que le crédit de Jacques Chirac a été très affecté par les manifestations étudiantes : 51 % des Français désapprouvent globalement l'action du premier ministre. Un autre institut de sondages, la Sofres, indique en revanche que 62 % des Français approuvent l'action du président en décembre. Et 34 % jugent que la cohabitation lui profite contre 15 % à Jacques Chirac.

Il n'a donc pas à forcer son talent pour paraître détendu. Que dit-il aux Français, en ce dernier jour de l'année? Rien que de très classique.

« Je souhaite que la France sache s'unir quand il le faut. Je souhaite qu'elle sache vivre et faire vivre sa démocratie. Je souhaite qu'elle gagne les enjeux que lui propose le monde moderne. »

Innovation pourtant : il affirme qu'il a voulu la cohabitation « pour éviter à la France une crise dangereuse ».

Le lendemain, 1er janvier, il est au fort de Brégançon où il passe les fêtes en famille. Une délégation de cheminots grévistes vient lui présenter ses vœux. Il les reçoit. La France est toujours paralysée.

Au gouvernement, on s'exaspère. Édouard Balladur s'écrie : « J'aimerais bien que, dans sa fonction d'arbitre, il arrive au président de donner raison au gouvernement. » Tandis que Jacques Chirac dit à Jean-Pierre Elkabbach sur Europe 1 : « Il n'est pas sûr que dans ces circonstances le geste ait été positif pour ce qui concerne le règlement d'un conflit... Je n'ai pas le sentiment que le président se comporte en arbitre. Un arbitre observe une partie, fait respecter le droit et siffle des pénalités, à l'un ou à l'autre camp, quand il a commis une erreur par rapport à la règle du jeu. Je ne pense pas que le président ait comme intention ou comme vocation de soutenir le gouvernement, j'ai même l'impression du contraire. »

Bien entendu, le président se récrie, et proteste de son innocence, la main sur le cœur : « Une main tendue, est-ce un mal pour la France? » demande-t-il quelques jours plus tard en recevant les journalistes pour la cérémonie des vœux. « Je plaide pour le dialogue et l'apaisement. » Il consent toutefois à expliquer par la nécessité de lutter contre l'inflation la position négative de Jacques Chirac sur les revendications salariales.

Pas question de céder sur les salaires des cheminots.

Cette fois, Jacques Chirac a l'appui de toute la majorité, toutes tendances confondues. D'ailleurs, les Français, revenus de vacances, qui pataugent dans la neige et la boue, jugent insupportables ces interminables grèves. Les rapports des préfets sont unanimes : elles sont devenues impopulaires. Il va falloir en terminer.

François Mitterrand, lui, doit songer à jouer d'un nouveau registre. Mais si les Français, depuis quelques mois, n'ont pas compris que Jacques Chirac n'était pas capable de gérer les conflits et manquait cruellement de savoir-faire social, ce n'est pas faute qu'il les ait éclairés.

L'arbitre a tranché. En faveur de son camp.

Chapitre 6

# LE PÈRE DE LA NATION

(janvier 1987-septembre 1987)

La politique ne s'apparente pas seulement à l'art de la guerre. Il faut aussi, pour y réussir, manifester quelque talent culinaire, posséder le tour de main. Grands maîtres en gastronomie, Curnonsky et Escoffier l'énoncent pareillement : « Il faut beaucoup travailler la pâte, puis la laisser reposer. »

Ce talent, François Mitterrand le possède aussi. Il vient de travailler beaucoup la pâte, il a réussi à déstabiliser l'adversaire, l'heure du repos est venue. D'autant que les sondages, en même temps qu'ils lui accordent des scores glorieux, montrent qu'un bon tiers des électeurs pensent que la cohabitation ne profitera à aucun des cohabitants : pas plus au président qu'au premier ministre. Dès lors, qui pourrait bien faire son miel de la situation ? Suivez mon regard... il rime avec Barre. Lequel, en ce mois de janvier 1987, vient justement de « faire un tabac » à *l'Heure de vérité*. Résultat : à la question traditionnelle des sondages sur l'homme politique « qui a le plus d'avenir » aux yeux des Français, il gagnera neuf points d'un seul coup le mois suivant. Neuf points ! On n'avait jamais vu cela.

Ce n'est pas que le premier ministre de Valéry Giscard

d'Estaing se soit montré très explicite sur son programme. Mais il a joué la force tranquille – gouaille en plus – afin d'apaiser les angoisses de l'électorat majoritaire qu'inquiètent les ratés de la gestion gouvernementale et les rudes péripéties de la cohabitation-combat. Répétant qu'il n'a cessé d'avoir raison, qu'on aurait dû l'écouter et comprendre que Jacques Chirac n'avait aucun intérêt à souper avec le diable, le député de Lyon se fait une tête de recours naturel.

François Mitterrand reçoit l'émission, et le sondage, comme des avertissements. Sans doute se tire-t-il mieux d'affaire que le maire de Paris, mais le même constat s'impose toujours : lorsque les deux cohabitants se querellent publiquement, ils en font les frais l'un et l'autre. Le troisième larron, hostile par principe à cette expérience, rafle la mise.

Donc, il est temps de changer de ton et de méthode, de laisser reposer la pâte. François Mitterrand réserve désormais ses piques à Raymond Barre, membre, dit-il, « de la confrérie des gens pressés ». Et il aménage la cohabitation. A son avantage. Les Français, d'ailleurs, l'aident. Interrogés une fois de plus par sondage, ils estiment qu'il est le patron légitime de la défense (64 %) et de la politique étrangère (61 %). Ce qui montre qu'ils ont bien assimilé, et accepté, les pratiques et la tradition de la V^e^. Il avait critiqué, avant d'en bénéficier, l'existence du « domaine réservé ». Jacques Chirac avait tenté, ensuite, de lui en ravir une parcelle. Voilà que le peuple souverain, toujours légitimiste, tranche en sa faveur. Béni soit-il et bénies soient les institutions! Le président pourra se consacrer tout à loisir aux grandes affaires du monde. Le premier ministre gardera l'intendance – dont on sait depuis de Gaulle qu'elle n'a qu'à suivre. L'intendance, c'est-à-dire le chômage, le maintien du pouvoir d'achat, le déficit de la Sécurité sociale et celui du commerce extérieur, le tracassin quotidien. Tel doit être le lot de Jacques Chirac. Grand bien lui fasse!

Le changement du ton présidentiel est perceptible dès janvier, à l'occasion d'un incident, plutôt cocasse. En effet, Mme Mitterrand, qui n'a apparemment pas été informée des nouvelles nécessités tactiques, avait attaqué de front le gouvernement dans une interview par Patrick Poivre d'Arvor au *Journal du dimanche*[1] : « Le gouvernement fait n'importe quoi, dit-elle; François, lui, a une politique. » Émoi dans le microcosme, comme dirait un député lyonnais. Lors de la cérémonie des vœux des journalistes, ceux-ci interrogent le président entre whisky et petits fours : que pense-t-il de la déclaration de son épouse? Eh bien! Il n'en pense pas grand-chose de bon, vraiment pas : « A chacun son métier, dit-il, ce sont des choses qu'il ne faut pas renouveler. »

On n'est pas plus aimable. Personne ne saura comment Danielle Mitterrand a pris cette rebuffade. Mais plusieurs journalistes comprennent dès le lendemain qu'elle n'a pas apprécié : des conseillers de l'Élysée leur font savoir que s'ils souhaitent de plus amples informations sur ce bras de fer conjugal, le président est prêt à intervenir de nouveau. Ce qu'il fait presque aussitôt au micro d'Europe 1, que lui tend Philippe Périer. Il n'a jamais, explique-t-il, voulu « désavouer » son épouse. D'ailleurs, il l' « approuve » et « admire » son action : « Je dirais qu'elle est plutôt un exemple à suivre. »

François Mitterrand, qui ne veut pas avaler son chapeau pour plaire à Jacques Chirac, est ainsi contraint de rentrer dans le rang quand Danielle l'exige : la coexistence conjugale est souvent moins aisée que la cohabitation politique. Le microcosme, cette fois, sourit. Et Claude Sarraute conte l'histoire à sa plaisante manière

1. Le 28 décembre.

dans le billet qu'elle donne chaque jour au *Monde* : « Ça a dû barder, chez les Mitterrand, dites donc. Elle lui a mis une de ces jappées, après la cérémonie des vœux à l'Élysée, mardi : " Ça va pas la tête! Non, mais, je te fais une pub énorme et t'as le culot de me rembarrer devant le monde " (...) Il a fallu qu'il demande pardon mon Mimi (...) Il s'est roulé aux pieds de sa femme (...) La main nous démange souvent à la vue de tous ces politiciens qui en installent soir après soir sur nos écrans. On aimerait bien leur rabattre un peu le caquet. Grâce à Dieu, elles s'en chargent, ces dames [1]. »

En réalité, la petite phrase de la présidente est comme une queue de comète dans le ciel apaisé de la cohabitation. François Mitterrand se montre presque convivial avec Jacques Chirac. « Presque » seulement : en deux ans les deux hommes n'auront jamais déjeuné en tête à tête pour le plaisir ou même pour évoquer, de manière informelle et détendue, les grandes questions posées à la France. Mais une relative détente succède à la guerre froide. Il arrive même au président de complimenter certains membres du gouvernement : Mme Barzach pour son courage dans la lutte contre le Sida; Charles Pasqua, lorsque la police met hors d'état de nuire les membres d'Action directe; François Guillaume, qu'il n'aime guère, pourtant, après une communication sur la forêt au Conseil des ministres; Albin Chalandon pour un texte sur la répression de l'ivresse au volant; Pierre Méhaignerie, pour un texte sur le logement.

A ce jeu, François Mitterrand gagne trois fois. D'abord parce qu'il peut espérer recueillir une part de la popularité de tel ministre qu'il félicite. Ensuite, parce qu'il retrouve une image – bien altérée après les incidents des derniers mois – d'arbitre impartial. Enfin, parce qu'en

1. In *le Monde*, 7 janvier 1987.

distribuant les bons points après les mauvaises notes, il s'arroge le monopole du juste et du vrai. Comme un père qui a la morale pour lui et qui distribue encouragements et réprimandes à ses enfants. Justement, Édith Cresson (dans une interview à *Paris-Match*) et l'inévitable Jack Lang (à *l'Heure de vérité*) le qualifient de « père de la patrie » sans prendre garde que le dernier responsable français à avoir bénéficié de cette appellation contrôlée se nommait Philippe Pétain. C'est ainsi que l'on passe du socialisme au paternalisme.

Quoi qu'il en soit, les ministres de Jacques Chirac apprécient cette pause. Les mois précédents, ils se demandaient chaque mercredi quelle volée de bois vert ils allaient recevoir. Le scénario était immuable : quand un membre du gouvernement présentait un texte au Conseil, le président marquait ses réserves en quelques phrases courtoises, chacun s'en allait de son côté, et le ministre découvrait ensuite sur les dépêches de l'AFP un texte au vitriol, reproduisant ses propos, mais cette fois accablants, par la bouche de Mme Gendreau-Massaloux, porte-parole de l'Élysée. A partir de janvier, ce désagrément est souvent épargné aux équipiers de Jacques Chirac.

Certes, le ciel de la cohabitation est encore traversé de quelques cumulo-nimbus. Le président regrette par exemple que le pluralisme de l'audiovisuel ne soit pas mieux respecté (en mars 87), il se plaint des retards des travaux du Grand Louvre (en avril) et, plus véhément, il juge « absurdes » (en juin) les modifications imposées pour raisons d'économies, au projet de l'Opéra de la Bastille, et il rechigne à signer la convocation du Parlement en session extraordinaire pour juillet. Mais enfin, le gouvernement souffle un peu. Après la cohabitation hard de l'année 86, voici la cohabitation soft.

L'apaisement permet à François Mitterrand de cultiver son « look ». C'est le deuxième volet de son plan. Il entre, lui aussi, en application en janvier.

Une émission télévisée est diffusée ce mois-là, qui a été réalisée par le psychanalyste Ali Magoudi et le journaliste Pierre Jouve et qui est, assurent-ils, d'un style nouveau et d'une grande ambition : il s'agit de connaître la vérité profonde d'un personnage politique. Les deux compères ont passé des heures en compagnie du chef de l'État. Depuis deux ans, ils l'ont questionné, côtoyé, filmé, traqué, et interprété. Ils proposent donc en toute modestie un « portrait total » d'une heure et demie.

Et que montrent-ils ? Un homme sage, plein d'usages et de raison, qui n'est ni de droite ni de gauche, mais de partout à la fois, et qui incarne l'Histoire de France en images d'Épinal. D'ailleurs, il est le continuateur du général de Gaulle [1], il creuse le même sillon, il assume l'héritage.

Il ne s'attarde guère aux mesquins débats d'actualité (l'affaire Greenpeace ? croix de bois, croix de fer, il n'y a été mêlé « ni de près, ni de loin »). Il préfère apparaître en homme tranquille, qui n'aime rien tant que soigner ses arbres. Et économe avec ça. La preuve : il a apporté à l'Élysée son papier à lettres à en-tête de l'Assemblée nationale car il déteste « gâcher la marchandise ». Pour un peu, les téléspectateurs se demanderaient s'il n'apporte pas son panier-repas à l'Élysée, chaque matin.

« Jouisseur du pouvoir, moi, vous trouvez, vous ? interroge-t-il, faussement candide, avant de lancer : J'ai eu de la chance. J'ai fait ce que j'ai voulu, il faudra que je sois châtié un jour. »

Surtout, les Français découvrent en lui un courtier d'assurances tous risques. Rien à craindre de grave avec ce paisible. Certes, il a fait la guerre, et s'est bravement battu, mais voyez cela : « En 1940, une balle lui a traversé

1. François Mitterrand est le seul des successeurs du Général à s'être installé dans le bureau de celui-ci à l'Élysée.

l'épaule » – endroit sensible, s'il en est –, et il ne lui en reste aucune séquelle. Prisonnier de guerre en Allemagne, pendant dix-huit longs mois, évadé trois fois, il n'a même pas attrapé un rhume là-bas. Résistant, et armé puisqu'il le fallait, il lui est arrivé de tirer, puisqu'il le fallait aussi; mais il n'a jamais tué. Une belle guerre écologiste, en somme!

Oh, bien entendu, personne n'est tout à fait irréprochable. Il avoue donc avoir quelques défauts, ce qui le rapproche du commun : oui, c'est vrai, il lui arrive d'entrer dans de saintes colères, mais seulement une fois par an et quand il est fatigué.

Un portrait comme en brossaient les peintres de cour, soucieux de ne pas déplaire, et de redresser ici un nez camus, de dissimuler là une jambe torse.

Or, les mêmes Ali Magoudi et Pierre Jouve présentent huit jours plus tard un autre portrait « total », celui de Jacques Chirac. Sympathique lui aussi sans nul doute. Les téléspectateurs découvrent un premier ministre amoureux des hêtres aux rousseurs d'automne qui bordent les routes corréziennes, ami des poètes. Un homme pudique également, qui refuse de se laisser photographier dans sa salle de bains. Simple, presque humble et chaleureux avec les siens. Seulement cet homme-là l'avoue sans ménagement : oui, en Algérie, sur le piton rocheux qu'il gardait quand il était « fana mili » (comprenez fanatiquement militaire) eh bien oui, il a tué des fellaghas. Et il l'avoue encore alors qu'un projecteur bien placé sous le menton le fait ressembler à un petit cousin de Mussolini. Oui, s'il le fallait, s'il était un jour à l'Élysée, eh bien oui, il appuierait sur le bouton atomique.

Écoutez la différence. C'est facile. Avec un François Mitterrand à l'Élysée, les chances de la paix sont tout de même plus grandes. Tandis qu'avec Jacques Chirac... en voilà un qui paraît bien plus belliqueux. Bref, les

Français doivent se réjouir d'être dirigés par un père de la nation aussi chanceux et pacifique, qui comprend les malheurs et partage les soucis des plus humbles et des plus ignorés. Oui, on peut se confier à lui. D'ailleurs, pendant ces six mois – charité bien ordonnée – il ne va pas cesser de dire aux Français tout le bien qu'il pense d'un personnage qu'il connaît bien : lui-même.

Le meilleur exemple d'autopromotion de François Mitterrand est fourni par son *7 sur 7* exceptionnel, sur TF1, avec Anne Sinclair, annoncé à grand tapage le 30 mars.

Le président, qui entendait garder la vedette, s'était inquiété quelques jours plus tôt des tentatives de Jacques Chirac pour la lui ravir : le premier ministre devait annoncer à *l'Heure de vérité*, le mardi 25, des mesures en faveur des entreprises, avant de s'envoler le 30 pour les États-Unis où il devait être reçu par Ronald Reagan. François Mitterrand, dans l'intervalle, le 27, a donc prononcé un grand discours consacré aux questions européennes.

Et le voilà, le 30, devant Anne Sinclair. Dans le genre décrispé.

« Mon rôle, dit-il, n'est pas de dénoncer du matin au soir. » Il rend hommage à Philippe Séguin, « homme capable », ainsi qu'à Michèle Barzach. Mais c'est toujours la même tactique : cette bienveillance n'est pas désintéressée, elle doit rejaillir sur le chef de l'État, ou, à la rigueur, sur ses amis. Ainsi s'il convient que Pandraud et Pasqua marquent des points dans la lutte contre le terrorisme et l'insécurité, c'est pour ajouter que cette politique efficace prolonge en fait l'action de Pierre Joxe au ministère de l'Intérieur et que la criminalité avait commencé à baisser en 1984. De même, si Jacques Chirac a obtenu la libération d'otages français, c'est que Laurent Fabius avait montré le chemin.

Commentaire de Serge July [1] : « Les aficionados de ce genre d'exercice de haute école retrouvent là une figure tactique qu'ils connaissent bien, parce qu'elle est coutumière du jeu de Mitterrand : Le " baiser qui tue ". En flattant quelques excellences très voyantes de l'actuelle majorité, il cherche à vampiriser la popularité de certaines de leurs actions. En approuvant partiellement Pasqua, Mitterrand lui emprunte au passage un morceau de son aura sécuritaire. »

Ainsi, quand l'action de la nouvelle majorité est positive, c'est qu'elle se situe dans la continuité des socialistes. Quand elle échoue, c'est de son fait. Et ce qui fut négatif dans l'action des socialistes tient à l'héritage qu'on leur avait laissé.

Quand Anne Sinclair l'interroge à propos du Carrefour du Développement et de l'affaire Nucci, le président veut bien reconnaître qu'il y a eu erreur ou négligence mais il faut surtout retenir, laisse-t-il entendre, que « la litanie des scandales s'arrête en 1981 ». Sous entendu : les ripoux sont à droite.

La nouvelle pauvreté ? Bien sûr qu'elle existe, malheureusement, mais elle date de 1975.

Quant au chômage, tellement navrant et inquiétant, il faut se garder d'en imputer la lourde responsabilité à quiconque. Ne polémiquons pas sur un sujet aussi grave. Chacun a fait pour le mieux. Ainsi, en absolvant Jacques Chirac, François Mitterrand commence par s'absoudre lui-même, et absoudre ses amis.

En voilà de la bonne communication !

Elle s'adresse aussi, bien entendu, à la jeunesse. Le 21 avril, pour montrer que le père de la nation comprend très bien ses enfants [2], il se rend au Printemps de Bourges,

1. In *Libération*.
2. Et qu'il est toujours jeune.

écoute Karim Kacel, discute avec les Rita Mitsouko. « Vous n'allez pas prétendre, dira Yves Montand, que François Mitterrand est allé au Printemps de Bourges parce qu'il aime le rock... pas plus que Chirac n'aime Madonna. »

Quoi qu'il en soit, l'offensive Mitterrand est couronnée de succès. En juin, le président recueille 55 % d'avis favorables dans le « baromètre Ifop-*Journal du dimanche* ». Et pendant ce temps, la majorité se déchire. François Léotard, qui médite à haute voix depuis des semaines sur l'opportunité de sa candidature à l'élection présidentielle, lâche dans une interview au *Point* [1] quelques formules qui font mouche. Son parti doit tenir congrès quelques jours plus tard à Fréjus, et il faut donner du grain à moudre aux militants. Il explique donc que le PR ne saurait soutenir que deux candidats, lui-même ou Raymond Barre. Pan pour Chirac! François Léotard ne s'arrête pas en si bon chemin : il compare suavement les militants du RPR à des moines-soldats – les plus avisés comprendront templiers – c'est-à-dire des accapareurs de la puissance et du secret. Du coup, les militants du RPR enragent. Au sommet, ce n'est pas mieux : « Léo, qui t'a fait prince ? » demande l'un, « Chirac, qui t'a fait roi ? » répond l'autre. En cortège, les ministres gaullistes vont se plaindre à Matignon. Et Jacques Chirac adresse un ultimatum à son ministre de la Culture. Dans le style « il faut se soumettre ou se démettre » : « Restez au gouvernement mais renoncez à la parole, ou alors parlez mais sortez. » Suspens... Que va-t-il répondre ? Quatre jours durant, personne ne réussit à le joindre au téléphone. Il veut réserver la primeur de sa décision aux militants réunis à Fréjus. Le moment décisif arrive enfin. Il fait nuit, la voix du ministre est douce, les militants fervents, les journalistes

1. Le 28 mai 1987.

en nombre, comme si le sort de la France se jouait là. Et François Léotard, sans complexe, répond : « J'y suis, j'y reste, mais je continuerai à parler. » Re-pan pour Chirac!

La fête terminée, les lampions éteints, les électeurs de la majorité comprennent surtout que l'autorité du premier ministre vient d'être sapée. Ils ne cachent pas leur morosité; 1988 va-t-il répéter 1981, et les mauvais reports des voix de la droite empêcher la victoire de l'un de ses candidats?

Le lendemain du congrès de Fréjus, le dimanche de Pentecôte, François Mitterrand est comme chaque année à Solutré. Comme chaque année depuis le début du septennat, la presse est accourue pour écouter son rituel sermon sur la montagne [1]. Comme chaque année enfin, les fidèles sont au rendez-vous : Charles Hernu, Roland Dumas, Jacques Attali, Claude Estier, Georges Fillioud, Jack Lang, Roger Hanin...

Le soleil dardait ses rayons à Fréjus, il pleut à Solutré, et dru. Bravant l'averse, le président décide de partir à l'assaut du rocher dès neuf heures du matin en compagnie de son seul labrador « Baltique » et de Roger Gouze son deuxième beau-frère, moins connu et moins voyant que Roger Hanin. Il prend ainsi de court ceux de ses proches qui ont l'habitude de le suivre et qui paressent encore au lit ou s'attardent devant leur petit déjeuner. Coup de tête? Certes pas. Hasard? Encore moins. Si le président a tenu à accomplir son pèlerinage seul (si l'on peut dire, car il est suivi d'une cohorte de photographes et de caméramen; ceux-là, il n'a pas souhaité s'en séparer), c'est pour montrer au bon peuple qu'il se situe bien au-dessus de la mêlée, qu'il est un rassembleur et qu'il entend le manifester clairement en se séparant de la clique socialiste.

1. La roche de Solutré est haute de 495 mètres.

Descendu du rocher, alors que ses amis le rejoignaient un à un, dépités d'avoir été abandonnés et de ne pas figurer, du coup, dans les reportages, François Mitterrand délivre son message, et commente l'actualité. L'affaire Léotard ? Il hoche la tête : « J'ai toujours recommandé aux premiers ministres – et j'en ai eu trois – de demander aux responsables institutionnels des partis de renoncer à leurs fonctions avant d'entrer au gouvernement. Cela a pu se faire avec Pierre Mauroy et Laurent Fabius, mais Jacques Chirac ne m'a pas écouté. » Un temps. Puis il corrige, railleur : « Il est vrai que cela était plus facile pour eux. Mais d'un autre côté, il n'est pas bon de museler les ministres, ils ne sont pas " des robots ", le débat est nécessaire. » Et ce bon apôtre d'ajouter : « C'est au gouvernement de faire la démonstration qu'il peut gouverner. »

D'évidence, cette affaire lui plaît. Il s'attarde donc à l'évoquer. Et poursuit en indiquant que la décision du ministre de la Culture ne l'a pas surpris. Tout de même, quelque chose étonne François Mitterrand : c'est qu'on l'ait mêlé à cette histoire. Qu'a voulu dire François Léotard en soulignant que la majorité ne devait pas rendre au président le service de se quereller ? Il rétorque, avec une joyeuse férocité : « Et pourquoi est-ce qu'il ne veut pas me rendre service ? En quoi je les gêne... ? Je peux mettre un peu de raison dans leur passion, en somme, je les rends plus comestibles, ils devraient me bénir... Ou alors, il faut croire que je suis le dernier ciment de cette majorité. » Mais il se reprend vite. Il ne s'agit pas d'apparaître trop partisan, il importe de demeurer dans le style père de la nation. Il conclut donc : « Je ne veux pas voir la France aller de crise en crise. »

Bien sûr, les éternelles questions sur son éventuelle candidature reviennent sur le tapis. Et comme chaque fois, il met un soin méticuleux à laisser entendre à la fois une chose et son contraire.

« Alors vous n'êtes pas candidat ? » lui demande un journaliste. Réponse : « Je crois que c'est une évidence, non ? » Lui rappelle-t-on qu'il devra bien prendre une décision, il réplique : « Une non-décision serait tout aussi efficace. » Puis ajoute : « Toutes les raisons subjectives que je pourrais avoir seraient celles de ne pas me représenter. Mais il peut exister quelques raisons objectives que je ne prévois pas. » Il dément avoir indiqué au *Washington Post* qu'il ne ferait connaître sa décision qu'en mars 1988. Il a seulement fourni à ce journal, assure-t-il, « un renseignement administratif sur les dates limites de dépôt des candidatures ». Il apparaît pourtant aussitôt qu'une telle date lui conviendrait puisque, comptant sur ses doigts le nombre des mois d'incertitude qui attendent encore les Français, il arrive à... février. Mais comme il ne veut pas embarrasser les socialistes, du moins ceux qui sont « capables » de lui succéder, il se reprend : « J'aviserai, je les aviserai. » Et comme si tout cela était trop clair, il ajoute un peu de confusion : « Après avoir été président de la République, je serai déjà dans la dernière fraction de mon âge, que ce soit en 88 ou en 95. »

Bref, c'est le plus épais brouillard. Mais tout a été fait pour que s'insinue dans l'inconscient collectif l'image d'un homme sécurisant, auguste, paternel, planant au-dessus des joutes politiciennes et capable d'offrir à la France le changement sans risque, le progrès sans lutte, la modernisation sans effort, et le bonheur sans larmes. Un père de la patrie que l'on voudrait garder longtemps. « Ne nous quitte pas, Tonton, ne nous quitte pas », diront bientôt, sur cette lancée, des fidèles et des ralliés.

Dans l'immédiat, c'est bien entendu Jack Lang qui développe les thèmes de Solutré et entend démontrer que François Mitterrand se présentant serait cette fois bien plus qu'un candidat de la gauche : « Il souhaitera proposer en son nom une série d'objectifs au pays qui ne seront pas à proprement parler des objectifs socialistes[1]. »

En juin, les déplacements présidentiels en province sont parfaitement organisés dans cette perspective. Ainsi, en Basse-Normandie, les routes de campagne et les villages voient fleurir des dizaines d'affiches portant la photographie du président avec ce slogan sobre et compréhensif pour tous : « Pour la France ». Aucune référence au PS. Tandis que les foules venues à grand renfort de cars de toute la région déploient des banderoles « Y en a qu'un, c'est Tonton », ou encore : « Tonton, c'est mieux ». Les militants massés sur le passage du cortège huent Charles Pasqua, et réclament le président. Il serre les mains, caresse les enfants, ravi. La démangeaison présidentielle est décidément forte.

Interrogé par RTL, Jacques Chirac réagit : « Si M. Mitterrand devait être en campagne, je crois qu'il aurait tort... Le président a semble-t-il quelque difficulté à s'affirmer à la fois comme président de la République, ce que personne ne lui conteste, et à être en maintes occasions le porte-parole de l'opposition. S'il devait devenir un candidat, alors il y aurait une confusion générale des genres qui poserait problème. »

Passent les jours, François Mitterrand continue son autopromotion. Le 14 juillet, il confie à Yves Mourousi lors de la traditionnelle interview sur TF1 : « J'ai évité les crises graves depuis mars 1986. Je crois avoir protégé la réputation de la France dans le monde. J'ai assumé la continuité des grandes directions héritées, j'ai décidé quelques directions supplémentaires. » Voici donc dressé par l'intéressé lui-même, avec une satisfaction non dissimulée, le bilan de l'œuvre accomplie. S'étant ainsi servi, il reprend aussitôt l'image du père de la nation : « Il faut éviter de mettre de l'huile sur le feu. L'encouragement

1. A *l'Heure de vérité*.

aux passions les plus basses doit céder la place à une conception plus haute de l'intérêt du pays. » Un sage, décidément. Celui-là même qui, quelques jours plus tôt, oubliant les passions réformatrices des premières années de son septennat, déclarait à des responsables politiques réunis à Saint-Lô : « Quand vous ne voudrez pas refaire tous les quatre matins ce que d'autres ont fait avant vous, la France marchera mieux. »

Le sommet de la confusion et de l'autosatisfaction sera atteint le 16 juillet. Il confie ce jour-là à Liliane Sichler, pour *l'Événement du jeudi*, que tout bien réfléchi, il n'est pas favorable au quinquennat. Il a abandonné l'idée d'un référendum sur la réduction à cinq ans du mandat présidentiel. Pourquoi ? Question de morale, simplement : « Ce serait pour moi un truc commode, et c'est pour cela que je n'en ai pas envie. » C'est donc par honnêteté qu'il renonce à une réforme prônée pendant des années. Mais alors, s'il n'y a pas quinquennat, deux mandats présidentiels feront toujours quatorze ans. Est-il prêt à assumer une aussi lourde charge si longtemps ? Non, laisse-t-il entendre : « Deux mandats, ce ne serait pas sage. C'est trop pour un seul homme. » Vous allez conclure, bonnes gens, qu'il ne sera pas candidat. Innocents. Ne soyez pas si rapides et si logiques, car il ajoute aussitôt : « Cela ne veut pas dire que je ne me représenterai pas, je peux reconnaître la force des circonstances. »

Autrement dit, il ne serait pas moral d'envisager pour lui douze années de présidence, mais quatorze années, qui seraient « trop pour un seul homme », ne le seraient pas pour François Mitterrand.

L'habile homme !

En novembre 1987, *le Point* citera cette confidence du président à un jeune député rocardien : « Vous croyez que la politique est une confrontation d'idées. Vous vous trompez, jeune homme, la politique c'est un métier. »

Chapitre 7

# FRANÇOIS-AUGUSTE

(août 1987-...)

Y a-t-il un arbitre dans l'Hexagone ? Le président, qui voulait jouer ce rôle, s'est peu à peu mué en candidat depuis l'été 1987.

Admirons la performance. Un patient travail de pépiniériste chinois lui a permis de peaufiner, jour après jour, son image. De la transformer aussi.

En 1981, il incarnait le socialisme. En 1984, il voulait personnifier la modernisation. Aujourd'hui, il est bien plus : il est la France. Tout simplement ! A-t-il profondément changé ? Il se récrie, presque offensé. Dans son esprit, en effet, ces visages successifs montrent trop de traits communs. Loin de s'opposer ils s'additionnent, et font de lui cet homme d'expérience qui confiait à Christine Ockrent : « Je saurai mieux faire [1]. »

En 1981, il s'écriait : « Si je parviens à restituer le socialisme à la France, et au bout du compte la France au socialisme... j'aurai conscience d'avoir réussi ma vie politique [2]. » A-t-il donc échoué ? Il se récrie bien plus encore.

1. Dans *Face au monde,* sur TF1, en septembre 1987.
2. Pendant sa campagne électorale.

Aujourd'hui, les cathédrales idéologiques se sont effondrées. Le socialisme n'est plus une religion révélée. Le libéralisme a beaucoup perdu de son charme et de son éclat. Au milieu de ces décombres de l'esprit, et des vestiges de ses propres convictions, il est resté debout. Il a fait face et s'est peu à peu persuadé qu'à l'issue de son mandat, il détient le monopole d'une synthèse républicaine. Parce qu'il a tout expérimenté, il a tout intégré. Il peut être tout, à tous les Français. Du moins se juge-t-il ainsi.

Pourtant, afin d'entretenir la piété dans son camp, il a décidé depuis l'automne de présenter de préférence son profil gauche. « J'étais socialiste, je reste socialiste [1] », lance-t-il pour conforter ses amis. Dans ses voyages officiels en province, il retrouve les accents de 1981. Au Creusot, le 13 décembre, il ranime la flamme : « Comment ne pas comprendre le désarroi des éternelles victimes des transformations de la France ? Après tout ce sont toujours les mêmes. Ils ne sont pas responsables. Il vous arrive d'être en colère, quand il y a de quoi. Il faut vraiment que la mesure soit comble. Mais quand ça arrive, on entend parler de vous et qui vous donnera tort ? Pas moi en tout cas. » Et il brosse une fois encore, comme jadis, la fresque douloureuse de ces enfants dont on exigeait au XIX^e siècle qu'ils travaillent « quatorze heures par jour pour la bonne conduite de notre économie, et parce qu'ils pouvaient plus aisément se glisser dans les galeries étroites et travailler plus profond ». Il ne récite pas le rapport Villermé [2], mais c'est tout juste. Et ça le ragaillardit : « Ça nous rajeunit, hein ? » lance-t-il aux journalistes [3].

Il s'arroge à nouveau le monopole du cœur. Il est le porte-parole des victimes, des petits, des faibles, des

1. Septembre 1987 avec Christine Ockrent.
2. Voir p. 25.
3. Décembre 1987, *le Monde*.

défavorisés, des déshérités. L'heure n'est plus au front de classe, mais il demeure le paladin de la justice sociale, prêt à défendre les écrasés contre les cruautés de la société. Un langage réconfortant, même s'il ne s'accompagne pas de recettes (les anciennes ayant démontré leur inefficacité), ni d'un plan magique pour l'emploi, analogue à celui de 1981. Cette vieille chanson réchauffe les cœurs, comme les cantiques de l'enfance. On peut la chanter avec une sincérité non feinte. Et elle dispense parfois d'aller plus loin : « Quiconque en France adopte la cause des pauvres et des opprimés peut tout se permettre, y compris de garder dans sa poche l'argent de la quête », écrit Jean-Marie Domenach, chrétien qui a épousé, sa vie durant, presque toutes les causes de la gauche.

Ce registre-là, François Mitterrand le connaît à merveille. C'est pourquoi il s'oppose à l'inscription à l'ordre du jour de la session extraordinaire de janvier 88 de la loi modifiant le statut de la Régie Renault : il donne ainsi la priorité aux angoisses des ouvriers qui craignent pour leur emploi aux dépens de la nécessaire modernisation de la première entreprise industrielle de France [1]. Il sait bien que la concurrence, la réglementation européenne et les lois du marché imposeront une transformation du statut de la firme. Mais il préfère honorer la mémoire collective, les sentiments et la sensibilité d'une fraction des Français, ceux qui ont voté pour lui. Le grand marché unique européen doit s'ouvrir en 1992, certes, mais l'élection présidentielle a lieu en avril 88. Or, sans les électeurs communistes, il n'eût pas été élu! Il souhaite pouvoir compter sur eux en cas de besoin, même si entre-temps il a beaucoup réduit leur nombre. Tel a toujours été son projet et il n'a jamais varié sur ce chapitre-là. A peine avait-il

1. Question sur laquelle le gouvernement a – il est vrai – trop tardé.

signé le programme commun, en 1972, qu'il se précipitait devant l'Internationale socialiste réunie à Vienne pour expliquer qu'il embrassait les communistes afin de mieux les étouffer.

A peine avait-il fait entrer quatre ministres communistes au gouvernement qu'il expliquait, le 24 juin 1981, au vice-président américain George Bush : « Les communistes vont rester au gouvernement. Ils y resteront longtemps, trop longtemps sans doute, ce qui leur fera encore perdre des voix et les ramènera à 10 ou 11 % [1]. »

Les élections européennes de 1984, les élections législatives de 1986 ont confirmé ce diagnostic. Et ce sera sans doute, de son action, l'un des traits que l'Histoire retiendra. Même si, jouant les modestes, il confie plaisamment : « Les communistes m'ont beaucoup aidé. » Et de fait ils l'auront beaucoup aidé. Et Walesa, et Sakharov, tout autant.

Il n'empêche : même réduit, le PC pèse toujours quelque 2 700 000 voix. Pour le deuxième tour, il ne faut rien négliger. Son premier objectif est donc de rassembler tous ceux qui n'ont pas accepté la victoire de la droite en 1986, ou qui ont été ensuite déçus par elle. C'est pourquoi il reçoit à l'Élysée Jean-Marie Tjibaou, leader des indépendantistes canaques [2], qui vient de recommander aux siens d'acheter des armes – il condamne sans appel la Commission nationale des communications et des libertés pour laquelle il dit n'éprouver « aucun respect » : de quoi réjouir l'intelligentsia de gauche, les militants épars de l'antiracisme et de l'anticolonialisme, ou même tout simplement les téléspectateurs mécontents. Tous ceux aussi qui partagent les sentiments de Marguerite Duras : « Si vous continuez, écrivait-elle sans trop de modestie

1. In *Véridique Histoire...*, *op. cit.*
2. Encore qu'il ait changé sur la Nouvelle-Calédonie dont il ne préconise plus l'indépendance.

durant l'hiver 1985, vous allez vous retrouver devant les épouvantails Gaudin, Pasqua, Lecanuet, et seuls avec eux, et ce sera trop tard. Vous ferez partie d'une société que nous ne voulons plus connaître, plus jamais, et de ce fait, vous serez membres d'une société privée de nous, sans hommes véritablement et profondément intelligents, oui c'est le mot qui va, sans auteurs, sans poètes, sans romanciers, sans philosophes, sans vrais croyants, vrais chrétiens, sans juifs, vous entendez [1]. »

Marguerite Duras et ceux qu'elle appelle les « hommes véritablement et profondément intelligents » ne suffisent pas, hélas, à faire une majorité. L'ancrage à gauche ne doit donc pas couper François Mitterrand du reste des Français. Pour l'emporter il lui faut réunir à la fois tous les siens et quelques autres. Bien qu'il soit expert, ce n'est pas si facile. Certes, les sondages sont encourageants mais les Français « légitimistes », qui sont nombreux, accorderont-ils leurs faveurs au candidat aussi aisément qu'au président ? Rien n'est simple d'ordinaire, mais tout se complique dès que l'on rentre dans la bataille électorale. Or, François Mitterrand n'entend pas sortir de l'histoire de la V^e^ République par la porte des vaincus. Aurait-il dix ans de moins qu'il prendrait le pari d'un cœur plus léger, habitué qu'il est à d'éternelles revanches.

Observons-le : plus il s'interroge, plus s'approche le moment d'opter, plus il jouit de ce pouvoir unique qu'il détient : celui d'être seul à décider, et au moment de son bon gré comment va se jouer la partie. Au risque de tétaniser son parti ? Certains, comme Jean-Pierre Chevènement, s'en plaignent déjà [2]. Mais quoi ? N'est-ce pas grâce à lui que la gauche a rompu avec des décennies de défaites ?

1. Citée par Jean-Marie Domenach pour *Le Figaro*, septembre 1987.
2. Interview dans *le Point*, décembre 1987.

Donc, il s'accorde la liberté, le plaisir d'hésiter. Il envisage parfois de se retirer. Ce serait, lui dit-on, décevoir des millions de Français. Mais quitter le pouvoir au faîte de la popularité, provoquer la nostalgie, l'éternel regret d'un peuple capricieux et ingrat, se donner l'image d'un sage, une sorte de Cincinnatus, cela ne manquerait pas de panache. Un autre avant lui avait réussi à provoquer le chagrin en se soustrayant à la ferveur populaire et en refusant de demeurer à l'Élysée. Un exemple qui donne à réfléchir...

On imagine la ronde kaléidoscopique de ces idées hantant ses nuits et ses jours jusqu'à provoquer le tournis et le tourment.

L'âge le retiendrait de combattre encore? Bien imprudents sont ceux qui agitent en public l'argument. Si dans son for intérieur le président s'effraie des atteintes des ans, il sait aussi que la possession du pouvoir suffit souvent à donner la force et le rayonnement de la jeunesse. « Plus celle-ci s'épuise, plus le pouvoir est nécessaire, car il fouette le sang et l'esprit. Il retient autour de soi ceux que la vie dans son mouvement impétueux d'ambition et de désirs emporterait loin du vieil homme qu'on est devenu [1]. »

Et puis, il aime trop le combat. Déserter la lice serait déjà goûter au premier baiser de la mort. Alors que l'odeur de la poudre excite tant ses ardeurs. Battre la droite, François Mitterrand serait le seul à y parvenir une deuxième fois. Il trouverait là d'infinies satisfactions. Car « ces gens-là », comme il dit, il les déteste. « Ce qu'il n'aimait pas, écrit un de ses proches, c'était le style de ces gens-là. Ils manquaient de grandeur, d'élégance, méditaient des coups bas. Ils étaient presque tous avides, voraces, âpres au gain, insatiables. Ils voulaient presque

1. In Plutarque, *op. cit.*

tous, sans retenue autre que la peur de perdre et d'être pris, posséder, jouir du pouvoir pour lui-même [1]. »

Or, depuis l'automne 87, François Mitterrand supporte de plus en plus difficilement le partage du pouvoir, les embuscades et les marquages de la cohabitation. Il est las de la guérilla quotidienne pour les nominations des hauts fonctionnaires et des dirigeants du secteur privé, de ces affaires nauséabondes suscitées sous ses pas, comme autant de chausse-trappes, par des hommes qu'il côtoie – il en est sûr – à chaque Conseil des ministres. Ils méritent une bonne leçon.

S'il ne les a guère ménagés lui-même, si ses propres amis – avec sa bénédiction – les ont volontiers malmenés et même au-delà, cela relevait, à ses yeux, de la légitime défense. Toujours cette bonne conscience inaltérable.

Oui, les battre et ne plus les voir. Devant ses amis, ses proches, les journalistes qu'il reçoit, il ne cesse de décocher des flèches assassines contre le premier ministre. En comptant bien que ses propos seront propagés, comme en témoigne Jean-Yves Lhomeau dans *le Monde* [2] : « M. Mitterrand distille en privé les mots assassins – que ses amis s'empressent de répandre – sur ce premier ministre affublé de 4 V (voyou, vulgaire, velléitaire, versatile). » Fermez le ban, on ne peut être plus rassembleur.

Aucun journaliste n'a rapporté des propos analogues qui auraient été tenus par ses rivaux Jacques Chirac ou Raymond Barre.

Mais lui peut se le permettre. Il peut tout se permettre.

Le désir de battre la droite ne suffira pourtant pas à le décider. Une autre raison peut le pousser : François

1. *Ibid.*
2. Le 13 décembre 1987.

Mitterrand sait que s'il se retirait, une implacable guerre de succession s'ouvrirait au parti socialiste. Le PS y survivrait-il ? Lui seul peut aujourd'hui maintenir l'unité de la famille. Et à plus forte raison, la ramener dans les palais officiels. Là-dessus, il n'éprouve pas le moindre doute.

Demeure parfois l'hésitation. Alors, quel que soit le plaisir d'avoir à décider en souverain – et il est immense –, quelle que soit la fierté de penser que le destin des années 90 sera affecté par cette décision, quelle que soit la confiance en son propre jugement, il se prend à penser qu'un encouragement populaire franchement exprimé l'aiderait à forger sa détermination et lui réchaufferait le cœur. Certes ses amis plaident-ils déjà bruyamment. Jack Lang en tête, toujours fidèle à lui-même qui a lancé le parti des mitterrandolâtres, avec ce programme : « La France a besoin d'un homme hors du commun, un homme moral, au sens plein du terme, un homme authentique en qui l'on a de la fierté à se reconnaître [1]. »

Mais Jack Lang n'est que Jack Lang. Les autres aussi, Pierre Bérégovoy, Laurent Fabius, Lionel Jospin, ne sont que Bérégovoy, Fabius et Jospin. Il lui faudrait plus. Alors Louis Mermaz vend la mèche : « Ma conviction, dit-il, est qu'il sera candidat s'il y a un appel du pays. » L'appel ne va pas tarder à se faire entendre. Jack Lang, encore lui, veille.

Dans notre société hypermédiatisée, dans le monde du PAF, les intellectuels ne suffisent plus à cristalliser le choix. D'ailleurs ils ne quittent plus leur chaise longue, ils se taisent ou ils se terrent. Il faut autre chose, du neuf, du clinquant. Quand Gorbatchev vient à Washington rencontrer Ronald Reagan, les artistes, James Stewart en tête, sont conviés au banquet et propagent la mode Gorbie.

1. A Chalon-sur-Saône, le 13 décembre 1987.

De même, les artistes deviennent la caution de la campagne pour le deuxième septennat. Comme s'ils savaient, de science innée, ce qui est bien pour la France, et quel président il lui faut. N'est-ce pas, monsieur Noiret, que François Mitterrand est un être exceptionnel ? N'est-ce pas, monsieur Depardieu ? N'est-ce pas, monsieur Montand ?

« Tonton, laisse pas béton », implore le chanteur Renaud.

« Ne nous quitte pas », supplie le journal *Globe,* le plus branché des mensuels, qui pour l'occasion a tiré à 100 000 exemplaires.

Barbara, Michel Berger, Richard Berri, Charles Trénet, Yves Simon, Patrick Chéreau parmi des dizaines d'autres sonnent le branle-bas de la nouvelle marche vers l'Élysée. « Il me dit que j'existe encore, proclame Pierre Arditi, Mitterrand est devenu pour moi cette épure parfaite de la pensée. »

Le footballeur Dominique Rocheteau le voit « en cygne blanc qui voguerait dans un océan de boue sans jamais se salir ».

« Il m'a appris les arbres, je sais que sans lui l'existence ne serait plus tout à fait la même ni la France tout à fait la France », s'exclame Jacques Séguéla, qui a fait disparaître beaucoup d'arbres pour le papier de ses affiches électorales.

« Il me rappelle Louis XI par sa subtile intelligence, dit encore l'écrivain Françoise Mallet-Joris, mais il est plus beau et mieux habillé. »

C'est une sorte de concours : à qui sera le plus inventif et le plus extravagant. Jadis le poète bucolique Horace s'adressait ainsi à Auguste le père de la patrie : « Quand ton visage comme celui du printemps rayonnera sur le peuple, les jours seront plus doux et les soleils meilleurs. » Les temps n'auraient-ils donc pas changé ? Du coup, une nouvelle candidature Mitterrand change de sens. C'est de transfiguration qu'il s'agit. A quoi donc servirait-il de l'interroger sur le chômage, la Sécurité sociale, ses alliances ou ses projets ? Autant de questions trop prosaïques pour un être d'essence quasi divine.

Voici sept ans, entrant à l'Élysée, François Mitterrand portait le chapeau de Léon Blum. Quand il le quittera, il pourra se coiffer d'une couronne de lauriers. A l'instar des empereurs romains, il termine son parcours déifié. Une prouesse. François-Auguste est arrivé !

# BIBLIOGRAPHIE

BAUCHARD, Philippe : *La Guerre des deux roses*, Grasset, 1986.

BONNEFOUS, Édouard : *Avant l'oubli – La vie de 1900 à 1940*, Laffont-Nathan, 1984.

En collaboration avec Jean-Baptiste DUROSELLE : *L'Année politique, économique et sociale en France* (années 1974 à 1986), éd. du Moniteur.

BOURDÉ, Guy : *La Défaite du Front populaire*, La Découverte, 1977.

COLOMBANI, Jean-Marie : *Portrait d'un président*, Gallimard, 1985.

DELPERRIE DE BAYAC, Jacques : *Histoire du Front populaire*, Fayard, 1972.

DUBIEF, Henri : *Nouvelle Histoire de la France contemporaine, 3. Le déclin de la IIIe République*, Le Seuil, 1976.

DUPOIRIER, Élisabeth, GRUNBERG, Gérard : *La Drôle de défaite de la gauche*, PUF, 1987.

ESTIER, Claude, NEIERTZ, Véronique : *Véridique Histoire d'un septennat peu ordinaire*, Grasset, 1987.

JOBERT, Michel : *Mémoires d'avenir*, Grasset, 1974.

JOFFRIN, Laurent : *La Gauche en voie de disparition*, Le Seuil, 1984.

JULY, Serge : *Les Années Mitterrand*, Grasset, 1986.

LABBÉ Dominique : *François Mitterrand. Essai sur le discours*, éd. La Pensée Sauvage, 1983.

LACOUTURE, Jean : *Léon Blum*, Le Seuil, 1977.

LEFRANC, Georges : *Juin 1936. L'explosion sociale du Front populaire*, coll. « Archives », Gallimard, 1974.

MARX, Karl : *Le 18 Brumaire de Louis Bonaparte*, Éditions Sociales, 1984.
MILESI, Gabriel : *Jacques Delors*, Belfond, 1985.
MILLON, Charles : *L'Extravagante Histoire des nationalisations*, Plon, 1984.
MITTERRAND, François : *Ici et maintenant*, Fayard, 1980.
– *Ma part de vérité*, Fayard, 1970.
– *La Paille et le Grain*, Flammarion, 1981.
– *Politique 1*, Fayard, 1977.
– *Politique 2*, 1977-1982, Fayard, 1981.
– *Réflexions sur la politique extérieure de la France*, Fayard, 1986.
PFISTER, Thierry : *La Vie quotidienne à Matignon au temps de l'Union de la gauche*, Hachette, 1985.
PLUTARQUE, D. : *Des principes et des mobiles secrets d'un illustre président*, Albin Michel, 1987.

*Étudiants, Police, Presse, Pouvoir*. Enquête de la commission sénatoriale sur les manifestations étudiantes, Hachette, 1987.

# TABLE

*Cet ouvrage a été réalisé sur*
*Système Cameron*
*par la SOCIÉTÉ NOUVELLE FIRMIN-DIDOT*
*Mesnil-sur-l'Estrée*
*pour le compte des Éditions Grasset*
*le 30 décembre 1987*

***Imprimé en France***
**Dépôt légal : janvier 1988**
**N° d'édition : 7516 – N° d'impression : 8386**
**ISBN : 2-246-36291-1**